아주 사적인 시

아주 사적인 시

1판 1쇄 인쇄_2022년 08월 25일
1판 1쇄 발행_2022년 09월 01일

지은이_박세현
펴낸이_양정섭

펴낸곳_경진출판
등록_제2010-000004호
사업장주소_서울특별시 금천구 시흥대로 57길 17(시흥동) 영광빌딩 203호
전화_070-7550-7776 팩스_02-806-7282
홈페이지_http://https://mykyungjin.tistory.com
이메일_mykyungjin@daum.net

값 18,000원
ISBN 979-11-92542-02-7 03810

박세현 시집

아주 사적인 시

경진출판

□일러두기

1. 박세현의 14번째 시집이다.
2. 시 수록은 원칙 없이 뒤섞어 배열했음이다.
3. 시는 여덟 묶음으로 나누어졌지만 이 묶음은 근거가 없다.
4. 동성동본의 시들이 많은데 그대로 두었다.
5. 작가 인터뷰는 시인의 여담을 토막쳐놓은 자작극이다.
6. 시는 삶에 대한 응답이어야 하는가?
   앞의 시집 『갈 데까지 가보는 것』에서는 NO라고 했는데
   왜 그랬는지 기억나지 않는다. 이젠 YES라고 할지도 모른다.
7. 지방대 교수의 평범한 하루 같은 소만(小滿)에 초고를 마감한다.

차례

작가 인터뷰

영혼의 빈 구멍

칠십에는 어떻게 사는가

▷또, 시집 인터뷰인가.

◀그렇다. 또, 5년마다 대통령을 뽑는 거랑 다르지 않다. 출판사가 정한 디자인 규정을 따른다. 내 탓만은 아니라는 말이다.

▷인터뷰의 어조와 형식은 지난 번 시집 때와 같이 변한 게 없다.

◀사람은 쉽게 변하지 않는다.

▷올해 몇 살인가.

◀알면서 묻는 줄 안다. 그러나 대답한다. 칠십이다.

▷시인이 생각하는 칠십은 어떤 의미인가.

◀칠십은 일흔이고 일흔은 잃은으로 발음된다. 무엇인가를 상실해가는 시간이다.

▷무얼 상실하는가.

◀가진 것을 잃을 것이고, 갖지 못한 것도 잃어버리는 계절이라

고 해야겠지.

▷시인 물이 많이 든 말이다.

◀(소리 없이 웃는다)

▷칠십에는 어떻게 사는가.

◀하루하루. 하루 벌어 하루 먹고 사는 일용직처럼 산다. 나는 그게 좋더라. 굳이나 행복하려고 발버둥치지 않는 생활.

▷조선 나이 70은 무언가를 정리하는 타이밍이다.

◀그렇다. 연말정산 같은 시기다. 나는 정리나 결론이라는 개념을 좋아하지 않는 편이다. 사는 일은 매일이 정리고 결론이다. 흰 가운을 걸친 의사 배역이 등장해 운명하셨습니다, 그렇게 선언하는 순간이 삶의 진정한 결론이고 정리일 것이다.

▷지금 심정은.

◀모르겠다. 어지러운 문장 속을 나오는 느낌이랄까. 인생, 참 모르겠어. 이게 나의 대답이다. 정의하거나 단정하는 태도에 대해서는 귀 기울이지 않는다.

▷대충 동의가 된다. 시선집이니 전집 같은 걸 궁리하고 있는지를 물어본 거다.

◀그런 문제라면 죽은 뒤에 생각해도 늦지 않을 거다. 내 사전엔 그런 시시한 계획은 없다.

▷단호하시군.

◀조금 전에 강릉 단오장에 다녀왔다. 굿당에서 굿을 봤다. 삶이 온통, 온전히 굿판이라는 자기 확인.

영혼의 빈 구멍

▷앞전 시집 『갈 데까지 가보는 것』이 2021년 11월 10일이다. 이번 시집 『아주 사적인 시』와는 아주 촉급한 거리에서 인쇄되고 있다. 너무 촘촘하지 않은가.

◀촘촘하다. 그 표현이 딱이군.

▷밥 먹고 시만 쓰는가, 묻는다.

◀시인이 직업이 아니듯이 시쓰는 일도 일이 아니다. 다작이나 과작은 업자마다의 생산방식일 뿐이다. 어쩌다 내 시집의 터울이 촘촘했을 뿐이다. 나는 쓴다. 그냥 쓴다. 아무렇게나 쓴다, 이것이 내 작업방식이다. 이러면 안 되는가, 되묻는다.

▷요즘도 그러면 시를 많이 쓰는가.

◀나는 시를 많이 쓴다고 써 본 적은 없다. 타이피스트처럼 혹은 피아니스트처럼 앉아서 자판을 꾹꾹 눌러봤을 뿐이다. 내 말을 적절하지 못한 언어의 방편으로 해석하지 않기를 바란다. 거듭 말한다. 나는 쓴다. 그것이 시라면 시이겠고, 시의 찌꺼기라면 찌꺼기다. 시라는 말에 속지 않으면 된 거다. 시라고 앞장 선 시들이 또 얼마나 수상한 것들인가, 그런 걸 따져보는 시간이 내가 키보드를 두드리는 순간이다. 그 순간에 굽어진 내 어깨를 나는 시라고 말하고 싶다. 너무 나갔나. 그럼 다시 뒷걸음으로 돌아와 출발하자. 시를 많이 썼네, 적게 썼네 하는 말이 너무 가볍게 들린다는 뜻이었다. 시에 일생을 건다는 표현도 들어봤다. 물론 구시대의

어법이다. 시가 나에게 자기 생을 걸지 않는데 내가 시에 생을 걸 이유가 없다. 그건 계산이 맞지 않다.

▷시쓰는 일이 좀 시들하거나 물릴 때가 되지 않았는가.

◀당근, 시들하고 물리고 꾀가 난다. 강릉말로는 손살이 풀렸다는 말도 된다. 손에 힘이 빠지고 엄두가 나지 않지만 엄두를 탓하면서 키보드를 두드리고 있다.

▷그런데도 계속 쓰는가.

◀주의할 말은 '그런데도'이다. 그렇기 때문에 쓴다. 할말이 없어서 할말이 없는 채로 쓰는 거다. 그게 더 시에 가까워지는 느낌이다. 이형기의 시 〈불행〉에는

텅텅 비어 있는 여기저기에
누구에게나처럼 벌레는 운다
행복하고 싶었던 그 시절이
실은 행복한 시절이었다

내가 좋아하는 경구가 들어 있다. 시를 쓰고 싶은 열망이 남아 있을 때가 좋았다. 그때가 시인이었다. 이제는 그런 열망을 추동하는 계기를 억지로 만든다. 詩들하다. 그만둘 수 없는 관성을 따라가면서 쓴다. 좀 더 나가면 이론이 된다. 시시한 문학이론들. 아시다시피 문학은 이론이나 지식으로 존재하는 형태가 아니다. 그러나 쓰는 순간은 구원이다. 구원은 다소 사기성이 있는 말이지만

문학에서 구원은 쓰는 순간에만 한정되는 특별한 자기 효과다. 자아의 빈 구멍을 메우는 그 몰입의 순간 말이다. 누구나 시를 쓰고 시인이 많을 수밖에 없는 필연성이 여기에 있을 것이다. 구멍의 종류나 크기는 저마다 다를 것이다. 타자가 대신 막아줄 수 없는 구멍들. 채울수록 더 헐렁해지는 자아의 슬픈 구멍들. 신체의 모든 구멍들이 허기의 아가리를 벌리고 있듯이, 한없는 비애이듯이. 결코 채워지지 않는 영혼의 구멍들이 나를 기다린다.

▷자아는 뭔가요. 그런 게 있나요. 헛소리 아니던가요. 자신이 그렇게 생각하고 자신의 생각을 신념하는 문제가 아니던가요.

◀(혼잣말로) 立破自在.

정점을 놓치다

▷좋은 시인은 각자의 시적인 정점 혹은 극점을 가지고 있다. 시인이 가진 시힘의 최대치가 터져나오는 지점을 가리키는 말이겠다. 물론 자신의 정점을 만들지 못하는 시인들이 대다수다. 정점을 오해하는 시인도 줄잡아 87%는 될 것이다. 본인의 경우는 어떤가.

◀시쓰기 경력만으로 본다면 정점이 한 두어 개는 만들어졌어야 마땅하다. 웃으면서 가볍게 답하겠다. 정색하지 말기를 바란다. 내 시의 정점 혹은 극점이라면 나는 이미 그곳을 지나쳐온 것 같다. 그래서 지금은 이게 아닌가 봐, 하면서 모르고 지나쳐온 정점

방향으로 되돌아가는 중이다. 아시겠지만 이제는 그곳이 또 어딘지 헷갈린다. 여기 같은데, 저기 같은데. 문학하기에서 확신만큼 비속한 것이 있겠는가.

▷시집의 볼륨이 꽤 두껍다. 일반적 관행을 위반하는 두께다. 이렇게 된 연유를 설득시켜 달라.

◀얇은 시집이 있으니까 상대적으로 두꺼워 보일 뿐이다. 혹시 시집은 얄팍해야 된다는 관습에 오염된 건 아닌지 돌아볼 일이다. 굳이 변명삼아 떠들자면 두꺼워야지, 해서 볼륨이 확대된 건 전혀 아니다. 좀 추렸어야 되는데 파스칼 식으로 말하자면 선별할 시간이 부족해서 그렇게 되었다. 일종의 귀차니즘이다. 내가 쓴 시의 우열을 내가 손수 저울질하는 일이 서글퍼서 그냥 통과했다. 내 시집의 여러 성향들을 개관하면 기존 출판의 상식이나 안목과 잘 부합하지 않는다고 본다. 내 문학의 인연도 그 지점 어딘가를 떠돌고 있다. 이 사람 뭐하는 거야, 이렇게 생각하실 분들이 있을 것이다. 그래도 너무 뭐라고 하지 않았으면 좋겠다. 키 큰 사람이 있고, 작은 사람이 있듯이 그러러니 하면서 넘어가주기를 바란다.

기우제식 글쓰기

문학이 싸우는 것도 고정관념이 아니겠나. 고정된 그 관념 말이다. 고정관념은 무섭다. 예를 들어서, 남조선이 민주주의라고 믿는 것도 일종의 고정관념이다. 중공이 사회주의 국가가 아니라 국가 독점 자본주의이듯이, 남한은 왕조 민주주의에 가까워보인다. 예를 들자면 입이 아프지만 진화하지 못하고 남아 있는 한두 가지 예만 슬쩍 들겠다. 대통령 처에 대한 호칭을 여사냐 -씨냐, 당선자냐 당선인이냐로 떠들어대는 것이 한국식 민주주의의 천박함이다. 정치자나 그들 빠집단의 머리에 고름이 들어 있다는 증거로 이해한다. 대통령의 '심기' 따위의 표현을 보자면 이건 가관이다. 왕조국가의 얄팍한 위장으로 보인다. 이것을 두고 나는 남한사회의 언필칭 민주주의라는 환각에 대한 고정관념(습)으로 이해한다. 이렇게 말하는 나는 부정적인 사람이다. 더 말해도 되겠는가.

▷계속

◀이런 말 하면 역시 당신은 그런 사람이라고, 고정관념의 잣대를 들이댈 것이다. 다른 지면에서도 같은 말을 떠들었는데 아무도 읽지 않아서 다시 반복한다. 나의 글쓰기는 이른바 기우제식 글쓰기다. 누군가 읽을 때까지 쓴다. 원하는 글이 무엇인지 모르는 채로 쓴다. 꾸역꾸역 쓴다. 미심쩍은 삶을 미심쩍은 언어로 번안하면서 쓴다. 기우제를 지내도 오지 않는 비는 오지 않는다. 그래도 기우제는 그 형식에 이미 비를 담고 있다. 마음은 늘 축축한 빗소리에 젖고 있으니까.

열린음악회, 가요무대, 전국노래자랑은 여러 면에서 남한사회의 척도를 생각하게 하는 티비 프로그램이다. 불특정 다수의 국민을 위로하는 오래된 국민프로그램이라는 점이 프로그램을 지속하는 근거라고 추측한다. 남조선 민중의 정서를 반영하는 지표인가 아니면 우리네 정서적 표준이 여기에 있다는 뜻인지, 모르겠다. 나는 지금 무슨 말을 떠들고 있는가. 내 말의 핵심은 우리가 진부한 고정관습의 자장 속에 무감하게 놓여 흘러가고 있다는 말이다. 문학의 여러 존재 이유 중 하나는 우리를 포위하고 있는 고정관념을 깨뜨리고 나아가 끝내 이겨내야 하는 작업이 아니겠는가. 반대로 고정관념의 품에 안겨 달콤하게 지내는 방법도 있다. 남한사회의 전개과정에서 보자면 그말이 그말이 되고 말았다. 권력독점의 임무교대 같은. 한국사회의 지배이데올로기는 먹튀에 있는 것 같다. 먹고 튀는 정치.

▷말을 다 했는가.

◀ 내가 하려는 말은 이제부터다. 앞서 말한 연장선을 문학으로 끌고 오면 먼저 눈에 드는 것이 신춘문예 공모제도다. 신춘문예가 이미 신촌문예가 된 지 오래지만 끈질기게 지속되고 있다. 투고하고, 심사하고, 당선하고, 시상식 하는 그 일련의 반복이 한국문학을 이끌어가는 동력의 하나라는 착각은 참 착하다.

▷그럼 어쩌자는 거냐.

◀그건 나도 모르겠다.

▷대책 없이 비판적으로 말하는 습관은 부도덕이다.

◀그것도 맞다. 그러나 그런 발끈 역시 문학제도의 뒷구멍에서 문학을 뒤로 잡아당기는 나쁜 순응이다. 대책 없음은 대책 없음이다. 그게 대책이다. 문예 지망자가 등단 지면이 없어 등단을 못

하고 있습니다. 그게 말이 될까요. 한국문학은 이런 속 좁은 시스템 속에서 자살당하고 있는 것이 아닐까, 싶네요. 그 밥에 그 나물 같은 심사위원이 둘러앉아서 그저 그런 시를 뽑는 순환의 고리는 모순과 범상한 악의 형태라고 본다. 그 중심에 신춘문예가 있다는 게 내 생각.

▷그건 당신 생각이다. 남조선 사람 누구도 동의하지 않을 것이라 확신한다.

◀그만큼 내 문학의 적들이 많다는 말로 알아듣겠다. (같이 마음놓고 웃음)

▷우울증의 반사적 표현으로 적어놓겠다. 남조선인들은 우울증에 대해서는 관대하다는 것도 참고.

오염된 시선으로

이번 시집의 볼륨 문제나 목차 생략, 생뚱스러운 부 제목 같은 것도 고정관념에 대한 어깃장인가, 묻는다. 보기에 따라서는 부담스럽기도 하다.

◀목차가 있어야 된다는 것 자체가 오염된 시선은 아닌지. 관행의 시다바리. 목차가 없는 것은 아무 페이지나 열어봐도 된다는 뜻이다. 거기부터 시작이겠고.

▷각 부에 붙어 있는 소제목은 독자용 낚시 같은데.

◀그렇기는 한데 요즘 사람들은 내성이 강해서 그 정도의 낚시

는 물지 않는다. 낚시 기능이라면 그건 강태공의 낚싯바늘이다.

▷튀어보려고 억지를 부리고 있는 것은 아닌지.

◀튀면 튀는 대로.

▷독자는 그리 만만하지 않다.

◀안다. 독자는 만만의 콩떡이라는 걸.

▷시집이나 문예지를 읽는가.

◀읽지 않는다.

▷대답이 당당하다.

◀재미없다.

▷시를 재미로 읽는가.

◀재미로 읽는다. 재미에 대한 정의가 문제겠지만 하여간 그렇다. 입맛이 다르듯이 시에 대한 재미도 그렇다고 본다. 한 마디만 짚겠다. 진지한 척 구시렁거리는 시는 눈이 잘 가지 않는다. 그런 시에서 은혜를 받은 적이 없기 때문이다. 그렇다고 진지성을 재미없음과 동일시하지 말기 바란다. 바지를 내리고 있는 시를 재미로 착각하지는 않으시겠지들. 한 마디 더 보태겠다. 내 말의 요지는 6주 특강 같은 개인교습이나 문창과 커리큘럼을 통해 익힌 시들은 지하철에 내걸린 시민 응모작과 혈통이 다르지 않다는 점을 강조한다. 전국노래자랑이 현실 문학판의 방송 버전이라고 보면 어떨까.

▷역시 당신 생각.

◀고맙다, 내 생각이 충만하다는 사실에.

▷침대맡에 두고 있는 시집이 있는가.

◀침대에서는 책을 읽지 않는다. 내체로 침대에서는 다른 업무가 기다리고 있거든. 그리고, 개인적인 공간에서 읽는 은밀한 책을 누군가에게 알려준다는 것은 피차간에 해서는 안 될 일이라고 본다. 그건 민망하다. 금년도 노벨상 수상작이라 하더라도 달라지지 않는다. 이건 일종의 나만의 신념이다. 화장실에서 읽는 책은 알려줄 수 있지만 참는 게 좋겠다.

▷제목에 대해서 물어보자. 이 제목의 포괄적 의미는 무엇인가. 아니 무엇을 겨냥하고 있는가.

◀문예지에 시를 발표할 때 사진을 보내달라고 할 때처럼 시집의 제목을 궁리할 때는 난감하다. 내남없이 그럴 것이라고 본다. 우선은 단순한 제목으로 가자는 것이었다. 강릉단오장에서 공연중인 동춘서커스단의 공중묘기 같은 제목은 제외하자. 단순한 명사형의 제목을 골랐는데 그 중 하나가 동문서답이다. 나는 이 사자성어를 많이 생각해왔다. 동쪽을 물었더니 동쪽을 가리키는 응전형식은 시에서 충분히 봐 왔다. 정답이 없는 삶에서 이것이 정답이라는 식의 발언은 수상하고 재미없다. 일종의 어용화된 문학이다. 어긋나고 덧나고 방향을 잃어버리는 시가 시다. 무엇보다 내 시를 안아줄 수 있는 간판을 고심했다. 그런 과정에서 낙점된 제목이 '아주 사적인 시'다. 남한의 너절한 국회회원들 같으면 국민투표에 붙이려고 했을 것이다. 나의 시는 일인용 시다. 나만을 위한 시다. 공익성 같은 것이 알뜰하게 제거된 시가 아니겠는가. 그래서 사적이라는, 단서를 달게 되었다. 내 생각이 여기에 있다

는 것이다. 다르게 이해되는 여지는 저자의 몫은 아니다.

뜬구름 잡는 일

▷어디선가 말했다. 잘 쓴 시와 좋은 시가 있는 게 아니라 그것에 대한 환상이 있다고 했다. 기억나는가. 그 환상은 채워지지 않는다는 취지였다.

◀그렇소. 시 잘 써서 뭣하겠소.

▷그 말에는 다 아는 척 하는 싸구려 도사 냄새가 나는군.

◀틀린 말은 아니다. 잘 썼다는 말에 놀아날 일이 아니라는 뜻의 강조 어법이다. 자의식의 구멍에는 잘 생긴 구멍과 못 생긴 구멍이 따로 있지 않다. 서로 다른 구멍이 있을 뿐이다. 동의하시는가.

▷동의한다기보다

◀나는 꽤 공정하게 하는 말이다. 나의 발언이 옳을 것까지는 없어도 모종의 일반성을 확보하고 있다고 본다. 인생에 정답이 없는데 시에 답이 있다는 거, 그거 수상하지 않은가.

▷그건 그렇다.

◀그건 그렇다가 아니라 그건 그렇다를 넘어서는 문제다. 시쓰기는 국자나 조리로 내면에 떠있는 건더기를 걸러내는 일이다.

▷다 퍼내면 끝이란 말인가.

◀맞다. 문제는 그게 퍼내도 퍼내도 다 비워지지 않고 늘 찌꺼기가 남아돈다는 점이다. 그 찌꺼기를 긁어내는 작업이 시쓰기라고

보면 어떨까. 시지프스의 인연이지.

▷시를 다 썼다고 선언하는 건 뭐지? 자기 속의 찌꺼기를 다 긁어냈다는 뜻이 되는가?

◀그 차원이라면 도사의 경지이거나 내면의 오폐수 정화작업을 포기했다는 뜻이 아닐까 (이 장면에 녹음된 웃음소리)

▷지금도 잘 쓴 시와 좋은 시에 대한 생각은 변함없는지.

◀그런 생각 자체가 환타지라는 점은 변함없음. 우리가 원하는 건 잘 쓴 시이기도 하지만 좋은 시라고 생각함.

▷잘 쓴 시와 좋은 시를 구분하는가.

◀소다간 말장난이지만 잘 쓴 시는 당대 시문법에 잘 적응한 시가 되겠지. 좋은 시는 그런 것을 격파하고 나아간 시라고 해야겠지. 학습된 시가 잘 쓴 시에 해당할 개연성이 있다면 좋은 시는 학습에서 먼 시들일 것이고, 중심과 당대 문학의 규약과도 먼 거리에 있다고 봐야겠지.

▷잘 쓴 시와 좋은 시가 포개졌을 때는 잭팟이겠군.

◀그런 행운은 드물겠지. 꿩도 먹고 알도 먹는 일이니까.

▷예를 들면.

◀지면 관계상 예는 다음에 들도록 하자.

▷누군가 시를 열심히 쓰고 있다면 자기 내면에 뚫린 구멍 틀어막기에 열중이라는 뜻이겠다.

◀우린 늘 뒤가 깔끔하지 않잖어. 앉았던 자리, 바지 구겨진 자국, 애증, 존경, 숭배, 추억, 역사 같은 더러운 찌꺼기들이 늘 남아

돌잖어. 어쩔 수 없거나 불가피한 그런 무의식의 어른거림으로부터 어떻게 달아난단 말인가. 시는, 에, 또 개똥철학으로 말하자면 그런 혼란을 견디는 문자적 응전 방식이겠지.

▷단정적 표현을 피하고 추측성 어미를 쓰시는군. 자기 생각을 다운시키는 인상이다. 확신이 부족한

◀앞에서 잭팟이라는 용어를 썼지만 문학은 도박이다. 도박성이다. 확실한 건 없다. 우스운 말이지만(웃지 않으면서) 시쓰기는 특히 뜬구름 잡는 일이라고 본다. 나는 그게 좋다. 뜬구름을 잡으려는 헛손질. 저 먼 옛날 학부시절에 고전문학을 강의하던 교수가 했던 말이 생각나는군. 시는 뜬구름 잡는 일이라며 시쓰는 제자들에게 정신차리라고 훈계하곤 했다. 그 말은 정확했어. 나를 봐봐. 비실용적이고, 비현실적인 일에 속절없이 끄달려가고 있잖아.

▷그 일에도 보람이 있으실까?

◀소용없음, 그것만이 유일한 보람이다. 부수적으로는 문예지에 시를 발표하고 원고료를 떼일 때마다 쓸쓸한 남조선 문학의 보람을 만끽한다. 그 돈이 단지 이삼만원일 때는 더 그렇다. 그 돈을 모아 네팔이나 우크라이나 난민을 돕겠다는데도 입금이 되지 않는 게 지금 이 순간 한반도 남부의 문화현실이다.

증상의 문자적 징징거림

▷그래도, 아니 그렇더라도 시쓰기는 충만한 자기만족 때문에 대

부분의 문예인들이 손놓지 못하고 시에 복무중인 것이 아니던가.

◀자기만족이라 했는가. 재미있는 표현이다. 자위적 취미활동이지. 자기만족은 그 말 속에 이미 분리할 수 없는 기만을 껴안고 있다. 다시 말하겠다. 자기 만족은 자기 기만이다. 그러지 않고 어떻게 시에 붙어 살 수 있을까? 시에 속고 시를 속이는 과정이 시쓰기라면 나는 한 표 던지겠다.

▷생각나는군. 어디선가 시쓰기를 징징거림이라 정의했더군. 좀 심하지 않았나 싶더군. 고상한 시를 징징거림이라고 하면 다른 사람들 뭐라 생각할까. 징징거리는 시의 예를 들어 달라.

◀시간 관계상 예는 생략하겠다. 궁금하면 아무 시나 꺼내 첫 줄만 읽어보길.

▷증상의 문자적 징징거림?

◀사정이 이러하니 한국문학사 전체가 징징거림의 울림통이 된 거겠지. 오래되고 질긴 자기기만의 형식이 내가 알고 있는 시였음. 미학에 이르지 못하고 좌절하는 자아의 메마른 비극이 아닐까.

▷징징 (우는 소리를 흉내 냄)

◀시적 리듬이 몸에 붙었어. 잘 하시네.

언어만 믿고 싶다

▷박세현표 시를 쉬운 시라고 규정하는 시선도 있다.

◀누가?

▷아무도 그런 말을 하지 않고 있다는 침묵이 그것의 반증이 아닐까 싶은데

◀일종의 뒷구멍 합의?

▷그럴지도 모른다. 쉬운 시라고 해서 쉽게 쓰여졌다는 짐작은 아닐 것이다.

◀제작자 입장에서는 쉬운 시도 좋고, 쉽게 쓰여졌다는 독후감적 추리에도 반대하지 않는다. 나는 시 한 편을 쓰는데 오랜 시간을 들이지 않는다. 반대로 밤을 지새우고 다음 날 또 고심하는 경우도 있겠으나 그건 각자의 작업방식이다. 소설은 오래 붙들고 있으면 소설가에게 뭔가를 돌려주지만 시는 그렇지 않은 장르다. 시는 오래 붙들고 있으면 철학이 되기 쉽다. 시가 철학적이라고 하는 것은 시에 대한 경멸이다. 시는 고정된 실체가 아니라 쓰여지지 않는 무엇이다. 그러니 시는 전통이나 고전이라는 말을 견디기 힘들어한다. 자신이 그렇게 되는 것조차 경계한다. 시는 쓰여지면서 사라진다. 우리가 읽는 시는 시의 잔여물이자 찌꺼기가 아니겠는가, 싶다.

나의 시쓰기는 속기록적 방식이다. 말을 해놓고 보니 더 그럴 듯하군. 쉼 없이 또 급속으로 흘러가는 생각에 언어의 둑을 쌓겠다고 고심하다 보면 생각이여, 무정한 나의 생각은 저만치 가버리고 없다. 생각이라는 환상도 생물이다. 고정된 실체가 없다. 고정된 건 언어라는 몹쓸 기표뿐이다. 나는 언어라는 방편을 믿지 않지만 이제는 언어만 믿고 싶다. 언어만이 진실이다. 언어에 담기지

못한 생각은 유령이다. 이렇게 중얼거려 보는 거다. 바닷가에서 손으로 모래를 움켜쥐었지만 모래알은 다 빠져나가고 빈 손만 남는 거, 그게 언어 아니던가. 언어에 속고 싶다는 이 열망을 아시는지. 이렇다 할 문학적 자산 없이, 좌판 하나 달랑 들고 여기까지 온 거 기적이 아닌가?

▷기적은 무슨. 기적소리겠지. 그리고 여기까지 왔다고 했는데, 여긴 어디란 말인가.

◀뭘, 그런 걸 굳이 따져 물으시나. 말을 하다보면 혓바닥 근육의 탄력이라는 게 있고, 제 힘으로 굴러가는 말도 있을 것인데 그 말을 해명하라는 건 심술궂다. 취소할 용의가 있다. 여기까지라고 했지만 나도 여기가 어딘지는 모르겠다. 살펴보겠다.

▷문학적 자산을 탕진했다는 말로도 들린다.

◀나에게는 출발부터 까먹을 문학적 자산이라는 게 없었으니 탕진이라는 말은 어울리지 않는다. 인건비 건지기 어려운 자영업 골목을 헤매다 이렇게 되고 말았다는 것이 내 자전적 진실의 일면이다. 또 이러다 말겠지만.

▷대화를 너무 진지하게 끌어가고 싶지 않다. 가벼운 토픽으로 가보자.

◀지금, 충분히 가볍다. 견딜 수 없이 가벼운데

▷가령, 코로나 시국이 종점에 왔는데 어떤 생각이 드는지 묻는다.

◀난리부르스. 인간은 서로에게 병균이라는 생각. 교수형 일순위는 정치자들이라는 결론. 질병의 정치학 또는 정치의 질병학.

중공발 우한폐렴 동안에 남조선 지성이나 논객들의 핸드마이크의 전원이 꺼져 있었던 것은 아닌지.

멜로드라마는 사양

▷홍상수가 〈소설가의 영화〉를 개봉했더군.

◀두 번 봤다.

▷그 정돈가?

◀경로 할인을 받으니까. 전철은 어르신 카드가 있고.

▷근데 칠순 영감이 극장에서 그것도 홍상수를 보고 있다는 거, 그기 우습지 않어?

◀전혀. 고작 두 명이거나 세 명이 앉아서 보는데, 송해가 95세 최고령 텔레비전 사회자였다면 나는 최고령 홍상수 관객이 되는 거지. 아무도 나를 신경 쓰지 않더군. 일테면 갈 데 없는 노인이 아무거나 표를 끊고 어두운 극장에서 시간을 죽이고 있다는 것이 평균적 시선이겠지. 계산해보니 〈돼지가 우물에 빠진 날〉이 1996년에 개봉했더군. 그때부터 보았으니 26년째 홍감독의 영화를 개봉관에서 보고 있다는 말이 되는군. 홍상수의 영화는 항상 같고, 항상 다르다는 한 줄의 영화평이 내 시에도 옮겨붙었다면 엄살인가. 끝까지 가보는 것, 갈 데까지 가보는 것도 내가 유지하는 하나의 희망이다.

▷홍상수 또 볼 건가?

◀홍을 대체할 수 있는 영화가 있다면 볼 것이고. 가령

▷가령?

◀짐 자무쉬, 장률, 우디 앨런, 왕빙, 클린트 이스트 우드, 정성일

▷시인 약력이 두 줄이다. 불친절하지 않은가.

◀그동안 너무 친절했다는 반성의 표현이다. 구스타프 말러의 묘비에는 그의 이름만 새겨졌다. 조기축구회나 문예협회 회원 같은 정보는 없었다. 나는 그런 인류를 시인이라 명명한다. 자기 생을 멜로드라마로 만드는 일은 하지 말아야 하겠다는 말씀. 시인이라면 서사니 스토리텔링이니 하는 말은 몰각해야 맞다.

▷너무 사적이군. 아주 사적이야.

◀이 정도에서 나를 아는 사람들과 작별 인사.

▷포스트 크레딧으로 짧은 질문 몇 개 던진다.

시집 낸 걸 후회하면서

▷시집에서 애착이 가는 시가 있다면?

◀그런 시는 아까워서 시집에 삽입하지 않았다.

▷시집이 나오면 누구에게 줄 생각이신가?

◀민폐.

▷앞으로 쓰고 싶은 시의 방향은?

◀지금 쓴 시와 같거나 아주 비슷한 시

▷어떤 시인으로 기억되고 싶은가?

◀과하고 역한 질문이다. 못 들은 걸로.

▷인터뷰 끝나면 뭐하시나?

◀쓸쓸하겠지. 시집 낸 걸 후회하면서.

▷시의 길을 잃어버린 건 아닌가?

◀시에도 길이 있다면... 그건 시가 아니겠지요.

▷시가 아니라면?

◀엿.

불꺼진 극장

밤기차

내가 지금 어디 있는지
거처를 모르는 분들 모두 다
행복하시길

나는 해당화 시든 바닷가 오두막
클레멘타인 부인 옆집에 세들어 살고 있소
아비는 고기 잡으러 가서 영영 돌아오지 않고
집세가 밀린 클레멘타인만 혼자 늙고 있지요
맑은 날은 휘파람 불고
흐린 날은 기도를 한답니다

초여름밤

불을 끄고 하루를 눕히는
초여름밤
몸 안에
덜 끈 불이 남아 있군
내일은
점을 보러 가야겠다
올여름이
작년처럼 무성할지
어떨지

여백 이상

도서출판 청하에서 제정한 김종삼 문학상은
출판사가 필화 사건으로 문을 닫으면서 폐지
되어 명맥이 끊겼다. 초대 수상자이자 유일한
수상자는 황동규 시인이다
이상의 출처는 김종삼 봇
아무도 손댈 수 없는 스캔들
김종삼식 풍경이다
이하 여백

그게 좋겠다

열네 번째 시집 원고를 정리하면서
내도 그만 안 내도 그만
(와도 그만 가도 그만
방랑의 길은 먼데)°
내지 말까 하는 생각이 차올랐다
충분히 내 보았음이다
시집을 내고 나면 더 번거롭다
서명하고 봉투작업하고 우체국을
들락대야 한다 우스운 노동이다
반겨줄 독자가 없다는 것도 시집의
납품을 망설이는 이유다
직군을 막론하고 종사자의 87%는
무능하다는 게 세상사의 진리다
누구의 말이었더라?
좋아요! 꾹 ♥
불암산 아래 중계동은 오늘 24도
미량의 늦바람이 골 속을 지나갔다
시집은 내는 쪽으로 기울었다
내는 거야 막 내자
대신 좋은 시는 시집에 넣지 말자
아까운 시는 아껴두기로 하고

적당히 본전할 시만 수록하자
그나저나 집사람 모르게 작업해야 한다
집사람은 서적 출판에 반대하지만
한국종이문학의 지속을 위해 계속 쓰고
계속 인쇄하는 일이야말로 불가피한
나의 결론이다 불쌍하다
대신 시집은 아무에게도 주지 말자
그게 좋겠다 끝

°오기택, 충청도 아줌마

나는 지운다

밤에 대해서
오지 않는 희망에 대해서
멈춘 타자기
꺼진 전등
버려진 손전화와
사랑의 전말에 대해서
나는 쓴다
친구의 무소식
갑자기 죽은 포크가수
눈부신 슬픔
아버지의 음성
지난 날의 이유 없는 짜증
친구의 신작 장편소설에 대해
나는 쓴다
나의 숨소리
일찍 온 아침
누락된 기억
바이올린 협주곡
늙은 탐 존스의 고향의 푸른 잔디
스무 살에 만난 초당동 소나무
밤바다의 파도소리

나는 쓴다
그대 기억 속에 살고 있는
나에 대해서 쓴다
시인의 손가락과 골드베르크 변주곡
뉴욕으로 돌아간 한대수
바람 부는 저녁
바람 그친 사잇길에서
진실만 쓰기로 결심한다
진실은 위선이고
진실은 텅 비었음을
확인하기 위해
노트북을 열어놓고
모기와 파리와
개망초에 대해 쓴다
기다려도 오지 않는 사랑
오지 않기에 완성되는 사랑에 대해서도
나는 쓴다 그리고 나는 지운다

꿈

보헤미안 주인
바리스타 박이추 씨가 강릉을 떠나
다른 데로 갈까봐 걱정되어
잠을 설치는 꿈을 꾸었다
봉평이나 울진 같은 곳으로
옮겨가지 말라는 법도 없지만
설마 그런 일은 없겠지, 하며
꿈을 깼다

세상은 있을 수 없는 일과
있을 수 있는 일이 뜨거운 입술을 열고
서로 한 입씩 뜨겁게 물어주는 곳이다
그게 세상사다

꿈 애기를 했더니 집사람은 강릉말로
늙으니 별 생각 다 하우야, 그런다
小滿 아침의 소소한 기록

박세현 서점

서점이라 부르기엔 과하지만
달리 부를 이름이 없으니
서점이라 불러두자
끝내 재고로 남겨진 주인장의 시집과
산문집이 입 다물고 있다
일주일 째 문 열고 들어오는 손님은
없다
가끔 주인이 나타나 자기의 시
한 편을 모노톤으로 읽고 사라진다
듣는 이 한 둘 있을 때도 있으나
대개 파도와 대개 밤바람과
대개 달무리가 듣는다
잘못 들어온 행인이 문을 열다가
도로 나가는 장면도 있다
하루는 허름한 사내가 들어와
여기 있는 책 다 사겠소, 그랬다
그는 폐지 수집가였으니
그에게 만복 있으라, 있으라

오늘 같은 날

올 사람도 없고 갈 사람도 없는
맑고 푸르고 착한 날이다
바다를 걷는다
아무 생각도 하지 않는다
아는 사람 없는 거리
나는 외계인이다
아무도 오지 않는 항구°
굽 닳은 구두 뒤축
혜화역 몇 번 출구였더라
언제 밥 먹자던 사람 우연히 만난 곳
쓰다가 포기한 시
남보다 못한 사이가 된 사람
바닷가를 걷는다
나는 너가 아니다
나는 나도 아니다
우좌지간
퇴직 후가 좋다
나는 모든 뒤가 좋더라
뒷마당 뒷모습 뒷개 뒷태 뒷사람 뒷담화
뒷소문 뒤풀이 뒤란 뒤웅박
종말이 좋고 종말 이후가 더 좋다

오늘 같은 날°°
휘파람을 분다
김영태의 무용평론집이 생각나서
무용처럼 발끝으로 걸어간다
남보다 못한 내가 춤추며 걸어간다
그게 나인지도 모른다
가만 있으면 되는데 자꾸만 뭘
그렇게 쓸라 그러나°°°
오늘 같은 날 말이야

°이승훈
°°양병집
°°°장기하

나중에 보자

그렇게 말하고 나는
내 생과 길게 헤어졌다
충분하지만 동시에 아쉬운 작별인사
벽에 걸린 판화의 인물이 돌아보는 건
오지 않은 시간 속에 핀 곰팡이가 분명하다
나에게 삶이란 아등바등
살아온 시간이 아니라 사느라
미처 살아보지 못한 그 시간인가 봐
공감하신다면 구독
좋아요 눌러주시오
나도 위로받고 싶소

더 멀리 더 아득하게

내 나이 칠십
기적은 아니지만 아닌 것도
아니지만 살아있음
살아있음
날마다 살아있음
상계중학교 담장에 다다이즘처럼 번진
장미다발이 뜨거운 입술로 내게 인사한다
어젯밤 꿈의 배경음악이 편곡 없이
내 앞으로 강물처럼 흘러간다
오늘은 오월 며칠
살기 좋은 날이다
살아서 좋은 날이다
깃발도 애국가도 어떤 추앙도 없이
하루를 살아가기 짱 좋은 날
내일도 살아있을까
그건 모르지 나는 모르지
미지는 얼굴 모르는 그대가 살아가시라
장미가 인도하는 길을 따라 나는
더 멀리 더 아득하게 가보기로 한다

엄지인

엄지인을 아시는가
나는 안다
매일 아침 여섯 시에서 일곱시까지
새아침의 클래식을 진행하는 아나운서다
매일 그 시간에 라디오를 열면
바흐와 그 일행들
매일 그녀가 고음악을 한 보따리 풀어놓는다
북청물장수가 머리맡에 찬물을 부은 듯이
내 아침의 하루가 전개된다
엄지인은 누구인가
나는 모른다
매일 아침 여섯 시에 나를 깨우는 목소리
늦잠을 자면 엄지인은 사라지고 없다
섭섭하지만 넋놓고 있을 만큼은
아니다 섭섭함으로 견디는 하루도 좋다
이 느낌적 느낌
라디오 켜는 걸 까먹어서
엄지인도 잊고 섭섭함도 없어지니 그게
또 섭섭하더라니

시의 사잇길

리론으로 설명될 수 있다면 좋겠지
그러나 그런 시는 사양하자
자기 자신으로만 설명되는
시의 사잇길로 지나가고 싶다
함박눈 오묘하게 쏟아지는
지난 해 미처 못 내린 눈까지
내려오는 겨울 아침
그 길을 걷고 싶다
모르는 행인에게 눈인사 하고
눈발 뒤에서 부르는 소리 있어
돌아보면
아무도 없는 그 빈 적막감을 아끼고 싶다
야무진 리론 없이 눈길 저만치서
눈맞고 서있는 그림자가 있다면
그가 나였으면 좋겠다는 말이지

기쁨이여

죽어도 어색하고
살아도 어색한 시간이
늦봄 실바람같이
없는 누이 손길같이 나를 건드린다
시를 쓰는 친구 소설을 쓰는 친구
대놓고 수필을 쓰는 친구도 있다
그게 다 옳다고 생각한다
아무것도 쓰지 않고
한 줄도 읽지 않으면서 어마무시한
삶을 태연스레 살아가는 친구도 있다
이제는 그게 더 옳다고 생각한다
쓰든 말든 읽든지 말든지
죽은 뒤 10분이면 공평하게 잊혀진다
잊혀진 채로 살아가자
기쁨이여 숨 쉬고 있음이여
언제 죽어도 이상하지 않은 나이
나 죽으면 장례식엔 오지 말고
계좌이체만 해주시길

자다 부시시

나는
남몰래 가만가만 시를 쓴다
세상말로는 시인이다
나와 악수했다면 당신은
시인과 악수한 게 된다
시인은 시를 쓰는 인간
시란 무엇인가
그런 것에 갇힌 인간
헛짓거리에 생을 사용하는 인간이다
시를 쓰려고 밤샘을 하거나
시집을 독서하고 있다면
그런 시인은 믿을 게 없다
그런 시인이 쓴 시는 더 그렇다
시 한 줄 쓰려고 며칠을 허덕거렸다면
더 거들떠 볼 게 없다는 말이다
시는 속기사가 본 주마간산의 업이다
삼박사일 고민해서 이루는 작업이 아니다
자다 깨어나 지금 몇 시지?
그렇게 물어달라
자다 부시시

나머지는 생략하자

아파트 앞 이팝이 문득 피어나서
나름 한가롭다 입하!
이런 날은 공중에 붕 떠서 어디론가 가보자
어디? 글쎄.
갈 데가 딱히 없군. 그럼 집에 있자.
집을 업고 갈까?
암스텔담의 길거리 카페에서
버스킹을 듣자. 어떤?
국산 트로트도 ok.
하늘을 마시면서 죽은 소설가가 남긴
미완의 장편을 생각하자.
주인공은 시쓰기를 그만둔 시인.
그가 시를 접은 이유는
시 속에서 자기도 모르는 자아가
엉뚱한 가면을 뒤집어쓰고 시인 행세를
하는 게 끔찍해서란다.
그럴지도 모르겠다.
그럴 수도 있겠다.

나도 시를 접을 날이 다가온다.
서운하신가?

부끄러운 거지. 여태 시를!
끄적거린다는 사실. 음.
나머지는 생략하자.

내가 살고 싶은 나라

내가 가고 싶은 곳은
오사카나 내몽고였을까 이스탄불이나
상하이 뒷골목은 아니었을까
내가 다시 가보고 싶은 곳은
무라카미 하루키가 소설 쓰던 집과
이름만 새겨진 구스타프 말러의 묘지도
포함되었을까 이제는 그런 장소들이
내 안에 있다는 것을 안다

찰리 파커가 알토 색소폰을
열나게 불어제끼던 뉴욕 뒷골목도
가보지 않았지만 이제는
그 또한 내 속에 있음을 충분히 안다

내가 살고 싶은 나라는
평화랑 자유가 흘러넘치는 나라였던가
이제는 아니다
조잡하고 뻔뻔스럽고 불공평하고
엄청 얍삽한 사람들이 아기자기하게
협력하는 나라가 역시 좋다
나 같은 하류들이 당당하게 흘러갈 수 있기

때문이다

상투적이고 작위적인 나라
그런 나라

사월이여 안녕

나는 강릉 간다
집사람은 새벽에 송광사로 떠났다
강릉 가면 연등을 달 것이다
큰 저수지 옆
젊은 배롱나무 몇 그루와
비구니 스님이 주석하는 절집
우리 집 작약은 다 졌을 것이다
할 수 없는 일이다
산대월리 벚꽃도 저물었을 것이니
연등 달고 바다나 보고 오는 거다
그러면 되는 거다
오전은 매진이라 오후 표를 샀다
서울을 향해 싱겁게 손 한번 흔들고
역사 안으로 들어섰다
사월도 다 갔군

유월의 밤

카피를 마시겠다
순하게 볶은 커피를 수북이 따라놓고
모처럼 지구별에 들른 표정으로
창밖을 내다보겠다
생각은 말자
새들은 잠들었을 것이고 풀잎도 눈감은
유월의 초밤에는 생각 없이 앉아 있자
긴 하루 잦아들고 밤이 걸어오는
느린 기척만 골라 들으리라
멋지고 위대한 말은 긁어내고
방금 핀 밤꽃에 어리는 달빛을 바라보자
그게 옳겠다
쓸데없는 생각은 꺼버리고
줄어드는 커피잔을 아껴 바라보자
숨 길게 들이쉬고 내게 온 유월의
밤을 살아야겠다

제자리걸음

아직
쓰여지지 않은 시
그 첫줄이 먼저 와서 문을 두드린다
못 들은 척
딴청을 부리며 바깥을 돌아다닌다
철쭉이 쭉 피어 있는 불암산
시간의 둘레를 걷는다
삶이 에베레스트보다 조금 더 높지만
항상 써야 할 시가 남아 돌 듯이
제자리걸음일지라도 넘어야 한다

쓰는 사람

누구랄 것도 없이
끝까지 쓰는 사람을 존중하자
그러기로 하자
대표작을 썼지만 계속 쓰는
그런 사람 말이다
쓰다 쓰다 쓸것이 없어지면
쓸것이 없는 것에 대해 쓰는 사람
그 사람을 귀하게 여길 것이다
쓸 만큼 썼다고 손 놓고 노는 사람도
존중하자 노느니 염불한다고
마침내 시시한 글을 쓰는 사람
별것 없는 글인 줄 알면서도
끝내 쓰는 사람을 숭상할 것이다

오늘의 커피

살아도 좋고 안 살아도 좋은 날들이
한 편의 ktx처럼 길게 지나간다
오늘 나는 아무도 만나지 않았음
전화도 하지 않았음
흔한 카톡도 하지 않았음
이 문장들의 자연스러운 전도몽상은
그래도 헤아릴 수 없는 나의 보람이다
오전엔 하루키의 클래식음악을 읽었고
오후엔 서풍을 맞으며 남대천을 걸었다
늙은 시인의 문학상 소감을 읽던 밤
안 써도 되는 시를 자꾸 써서
강호제현에게 미안하다고 시인은 사과했다
모르는 사람과 악수를 나누고 오랫동안
한국문학의 미래에 대해 소곤거렸던
밤도 그 밤이다
꿈속 사람이 쓸데없는 말은 하지 말라며
내 어깨를 툭 치는 바람에 꿈을 접었다
내가 마신 오늘의 커피는 보헤미안에서 볶은
콜롬비아 게이샤 드립백

쓰던 글 멈추고

작년 노벨상은 누가 타먹었는지
기억나지 않는다 본인은 알겠지
내 기억의 회로는 이렇게 되었다
요새는 누가 어디냐고 물으면
내려와 있다고 말한다
전엔 올라가 있었다는 말이 된다
4주 만에 종로를 걷는다
영화관 하나는 문 닫았고
친구는 지방으로 내려갔고
대선에서 탈락할 후보도 여전히
이루지 못할 사랑에 대해 징징거린다
서울은 만원이다 멀쩡한 인간은 없다
다들 각자의 부작용이다
눈보라도 없고 파도도 없이
중독된 거리를 평서문으로 걸어간다
다시 내려가야겠어
이번엔 더 아래로 내려가야겠다

내 시를 쓰고 있는 그대는 누구인가

쉼표 하나
마침표 하나도 내 것은 없다
시 한 줄 쓰면서 쉼표 하나도
내 맘대로 찍지 못하고 남들 따라서
찍고 있다 손이 알아서 꾹꾹 찍는다
내 뜻은 아니다
내 식으로 생각하고
내 식으로 말할 때가 아주 없지는 않다
그거야말로 내가 바라던 바
글쓰는 일의 오롯한 눈부심이다
컴퓨터를 끄고 일어설 때
그러나 컴퓨터가 꺼지기도 전에
방금 찍었던 쉼표와 마침표와 낱말들이
내 것이 아니라는 걸 알아챘다
세상에나
내 시를 쓰고 있는 그대는 누구인가

박세현처럼

노트북을 열어놓고 또드락대며
글렌 굴드처럼 키스 자렛처럼
자판을 두드릴 때는
피아니스트 같은 착각이 들기도 한다
우스운 비유이니 웃어도 상관없음
누군가의 귀에 닿아 그의 가슴을
그의 평생을 두근거리게 할 수 있다면
그런 허황된 마음먹을 때도 있다
소년도 아니면서 소년 같은 꿈이지
그래도 그런 생각이 어깨 근처를
지나가는 날은
기분이 나이스해져서 좋다
개꿈도 꿈이다
어제도 늦밤까지 피아노치듯이
조율 덜 된 고물 노트북을 두드렸다
블라디미르 나보코프처럼
제프 다이어처럼
꼭 박세현처럼

봄밤의 허공이여

미국 대통령 조 바이든이 연설을 마치고
돌아서면서 아무도 없는 허공에
손을 내밀어 악수를 청하는 장면
치맨가?
그런 말은 좀 서운할 것이다
80년 가까이 산 사람의 생을 함부로
침해하는 말이다
그에는 많이 미치지 못하지만
나 같은 쪼다도 손 뻗어 허공과 악수하고 싶은
밤이다
이 밤의 끝을 잡고°
이 봄밤의 한 끝을 부여잡고
카먼 맥레이를 듣고 있다면
약간은 근사하지 않은가
안 그래도 그렇다고 말해주는 분 있으면
피지 않은 한 송이 장미를 보내겠소
자정 넘긴 시간에 놀고 있다고 말해도
나는 웃으며 말할 것이다
감사합니다
봄밤의 허공이여
그대도 내게 손 한번 내밀어보시게

°솔리드

회고록적 진실

밑지는 장사하듯
뭐 이렇다 할 내용도 없는 시를 쓰면서
가끔 뭉게구름 같은 한숨
콩 몇 알 섞어 콩밥 짓듯이
시에다 5% 정도 진심을 섞어야겠다
박세현 시에 진심이 섞이기 시작했다
평론자들이 저런 문장을 쓰도록
문학적 욕망을 자극하고 싶기도 하다
진심, 그건 옳은 말이야
진심을 더 크게 말하기로 하고
오랜만에 마음을 들여다보니 아니구나
진심이 거덜나버렸음
내가 외로운 이유를 알게 되었다는
이 껍질만 남은 회고록적 진실

언제나 시인

시 한 줄 쓰고
벽 한 번 쳐다본다
살면 얼마나 산다고 시를 쓰나
필사하고픈 시
징징거리는 시
예를 들면 화내겠지
생략
예술원회원 같은 시는
그만 읽고 싶다면서
거리에서 붕어빵을 굽고 있는
당신이 내게는 언제나 시인이다

그런 시인 있음

박세현 알어?

누군데요?

시인이래

그런 시인 있나요?

있다. 그런 시인.

검색해볼게요.

1953년 생이니 올해 나이가…….

그 나이에 시 쓰겠어요?

그라지. 시는 이십대까지. 김형, 안 그래요?

내친 김에 그것도 검색해보시오.

이십 대 지나서도 시를 쓴다면

그거슨 어차피 미래파시겠지요.

(더 보기)

잠결에 들은 말이라 흐릿한 대목은

적당히 수정, 보완했음을 참고.

나는 거지예요

바다를 등지고 서서
한 손엔 파도 남은 한 손엔 구름을 쥐고
그는 말한다
나는 거지예요
그의 말은 과장도 아니고 비유도 아니지만
나는 그의 말을 과장과 비유로 읽으려 애쓴다
그것이 세상을 대하는 내 방식이다
누가 세계관이라 지적해도 가만 있겠다
그는 그야말로 아무것도 아닌
한세상 지나가는 사람이다
탄생 100주년쯤 되는 날
그를 다시 만나게 된다면 해변에 나가
뜨끈한 강릉 장칼국수 수북이 한 그릇
합이 덜 맞는 커피도 사줘야겠다
실은 나도 거지예요
그날을 떠올리며 연습해본 대사다
입에 잘 붙지 않지만
천연덕스럽게 다시 발음해보자
해석은 사양한다

저녁의 기원

책을 읽다가 책을 놓고
음악을 들으며 딴생각을 하고
이 세상에 살면서 다른 세상을 사는 순간에
어느덧 저녁은 내게 와서
좀 괜찮았냐고 묻는다.
그럭저럭 괜찮았다고 대답하면
서쪽 창문을 가리고 있던 어스름이
어수선한 내 무릎을 덮어준다.
홀로 있어도 아무렇지 않다.
저녁이기 때문.

당신의 헛수고

시인 박세현의 단골 카페에서
박세현이 커피를 마시던 자리에 앉아
꼭 박세현처럼 커피를 마셨습니다
마치 시인 박세현이 된 듯 했습니다
무슨 커핀지는 모르겠고
그런 건 중요하지 않은 밤이었지요
고생대 것으로 추정되는 빗방울이
이마에서 미끌어지다가 마음
한복판에서 딱 멈추는 순간
카페 실내가 완전 소등되었습니다
연극의 막이 내린 것이지요
잠시 뒤 불이 다시 켜지고 시인
박세현에서 겨우 빠져나온 나는 심심해서
고료 없는 문자 한 통을 집필했습니다
박세현의 시를 읽고 있을 당신의
헛수고를 축하합니다
보고 싶다고 썼다가 삭제했으니
안심하고 잘 사시오

청소기 강도를 한 단 더 올리고

월요일 2교시 현대문학특강
1930년대 한국문학의 어질머리에 대해 떠들던
바로 그 시간대
오늘은 거실에서 청소기를 밀고 있다
누군가 나 대신 침방울을 튕기고 있겠지
김해경에 대해서
이태준에 대해서
박태원의 월북 배경에 대해서
더는 세밀하게 알고 싶지 않다
책상도 닦고 바보상자도 닦지만
손 닿지 않는 데는 팔이 짧아 그냥 둔다
팔이 긴 사람이 청소할 일이다
어제는 몇이서 한국문학을 염려하면서
커피를 마셨다 그렇게 될 것은 그렇게 된다
어쩌라구?
페터 한트케가 코비드19로 통금된 밤거리를 산책하다 경찰에게 붙잡혀 벌금 물었다는 단신을 읽었다 노벨상 작가가 위대한 작품을 구상하기 위해 산보가 필요하다는 출판사측 쫑도 통하지 않았다는군
청소기 강도를 한 단 더 올리고
무잡스런 내 방을 세게 밀어붙였다

그런 날도 있다

초겨울 아침에 강원도민일보 김진형 기자가 전화 걸려와 27분 22초간 통화했다. 내 시집 『갈 데까지 가보는 것』을 읽고 기사를 작성했다면서 이것저것 후일담을 물어왔다. 나도 약간 흥분해서 아무 말이나 떠들었다. 김기자는 자기가 읽는 속도보다 빠른 속도로 책이 나온다며 다음 책을 기다리겠다고 했다. 고맙다. 어디 가서 이런 독자 만나지겠나. 그와는 몸으로 만난 적은 없고 몇 차례 통화를 나눈 적이 있는데 그때마다 길게 통화했다. 그가 남긴 마지막 말이 귀에 남았다. 박세현 시인은 과연 존재하는 사람인가요? 여기까지는 강릉에서의 일.

지금부터는 그날 서울에 도착한 밤의 일이다.

KBS FM 93.1 이상협이 진행하는 당신의 밤과 음악 프로에 있는 시인의 의자 코너에 내 시가 낭독되었다는 후배 시인의 톡을 받았다. 11시 30분 경이었다. 그때 나는 라캉 강의를 들으면서 손을 떨 듯이 경미하게 졸고 있었다. 방송은 지나갔으니 어쩌는 수가 없고 마음에는 낯선 미열이 남았다. 아무도 보는 사람이 없는 내 방에서 나는 아무렇지 않은 척 했다. 그러면서 데이비드 포스터 월리스의 『거의 떠나온 상태에서 떠나오기』를 펼쳤다. 266쪽: 혼자 힘으로 모은 재산이 있고 늘 집에 틀어박혀 있는 독자가 아니라면 2006년 논픽션 문학을 펴낸 수백 종의 미국 내 정기간행물을 다 읽을 수는 없다. 따라서 이 일은 하청을 주어야 한다.

시가 뭔지 모르겠어

시집 열세 권, 천 편이 넘는 시를 발표했다. 너무 많은가. 글쎄다. 조병화에 비할 수 없으니 많다고 할 수 있는 수량은 아니지만 윤동주나 백석에 갖다댄다면 누가 적다고 말하겠는가. 감히 어디다가 비교 잣대를 들이대는가. 이를 테면 그렇다는 말이니 당신은 정색할 필요까지는 없다. 내가 말하고자 하는 바의 요지는 얼핏 40년 정도 이 업종에 종사했으면 뭔가 좀 트이는 것도 있어야겠지만 시쪽 영업은 영 그렇지가 않다. 쓸수록 오리무중이다. 어떻게 써도 나는 나이고 언어는 언어일 뿐이다. 시라는 게 본래부터 말을 들어먹지 않는 얄미운 사람 같다. 라캉 선사가 말한 대상 a도 이런 게 아닌지 모르겠다. 아무리 꼬여도 언어 속으로 쏙 들어오지 않고 들어왔다손쳐도 언제 빠져나갔는지 모르게 사라지고 남는 건 시를 쓴 자판 기술자뿐이다. 결론: 나는 시가 뭔지 모르겠어. 시는 앎의 대상이 아니다. 이게 시겠거니 하면서 쓰는 거지.

길을 물으며

나는 지나가는 길손이고
아무나 붙잡고 길을 묻는 정도의 인간이다
그 길은 없는 길이며
누구도 가보지 않은 길이라
묻고 있는 내가 우습지만 뾰족한 수는 없다
철학자도 아니고 도사도 아닌 저 사람
방금 지팡이에 일생을 맡기고
겨우 걸어가는 사람에게 또 물었다
그냥 묻는 것이다
내 시가 꼭 그렇다니까요
내 시를 읽지 않는 사람들에게
나는 할 말이 없다

어쩌다 문학이 본업인 양 살았고 서적 여럿을 인쇄했지만 시장의 반응은 구차하다. 독자의 분발을 촉구한다.

진주목걸이

새벽에 시 한 편 뚝딱
물론 좋은 시는 아니고 방구석에
벗겨져있는 내 양말짝 같은 시다
사는 건 개떡인데 시가 폼 나면
그게 겉멋이지 안 그렇소? 동지들
그렇소만 나는 겉멋이 사랑스럽소
나름 겉멋주의자이지요

땟거리 없어 굶으면서도 외출할 때는
화장하고 있는 멋없는 멋 부리며 나가던
옛날 내 살던 이웃집 여자의 목에 매달려
외롭고 절박하게 반짝이던 가짜
진주목걸이 같은 시

가던 길

당분간 피해 있는 게 좋겠다는
새벽문자를 받았다 눈치 있는 나는
얼른 몸을 감추고 잠수타기로 했다
핸드폰과 카드와 화폐 몇 장
전철 우대권을 챙기고 집을 나왔다
언제 돌아올지 모르는 길이다
사람들이 나를 쳐다보는 것 같았지만
실은 아무도 나를 거들떠보지 않았다
지은 죄도 모르면서 달아나다니!
억울한 노릇이다
이왕 나왔으니 가던 길
먼 데까지 가보자
정말 무죄일까? 나는

집으로 가는 저녁

눈보라 그친 길 사람 뜸한 거리를
걸어서 집으로 돌아간다 늦은 시간
아닌데도 불꺼진 상점들이 많다
어두운 비유가 속을 풀어헤친 거리
어두운 거리를 걸어서 집으로 가는 중
내게 전화할 사람 있으면 지금이 좋겠다
오랜만이에요 그럼요 잘 견디고 있습니다
술집을 나서는 나이든 사람들의 등을
너그럽게 바라볼지도 모르겠다
그들의 등을 어루만지는 어둠도 좋다
집에 가면 늦었지만 커피를 마셔야겠다
목구멍에 꽃이 필지도 모른다
내가 잊고 사는 꽃

사촌에게 보내는 편지

내 시를 읽었다는 문자받고 웃었다
내 시는 맞다만 나도 읽지 않는 시를
사촌이 읽었다고 해서 놀랐다
시집을 주지 않은 형이 서운했겠지만
시집이라는 게 홍어를 닮아서
아무에게나 주는 건 실례가 되더라
숙모님이 그러는데 사촌이
주식으로 돈을 좀 만졌다고 들었다
사실이냐? 추석에 내가 한 잔 쏠게
집안에 부자가 생겼다니 내 일처럼 좋다
앞으로 내 시는 검색하지 마라
그건 나를 달래는 혼詩다
혼술 비슷한 거야

이게 말이 되는가

며칠 전이다
점심 후 책상에 앉았는데
불암산 바위벽이 눈앞으로 들어온다
저 장면만으로도 내 방은 평화롭구나
이런 순간에 폰이 울렸다

모르는 번호지만 덥석 받아버렸다
목소리는 없고 잠시 효과음 같은 바람소리
두어 번 또 두어 번 여보세요를 외쳤더니
저쪽 목소리가 국정원 문화예술 담당이라고
자기를 소개한다 문화예술적인 톤으로
천천히 용건을 말했는데

최근 내 시가 힘이 없고 온건 보수 골통으로
회귀하고 있음을 공식적으로 경고한다고 전했다
불온성을 30%만 섞어달라고 주문했고
계속 지켜보겠노라며 전화를 끊었다

이게 말이 되는가
심심하거나 외로울 때면
그날의 전화를 되씹으며
내 시에서 퇴행하는 문장 마디를 주물러본다

그가 떠난 저녁

그가 떠났다
마침내 라고 해야 할지
하여간이라고 해야 할지
편의점 앞 의자에 뒷모습을 남겨두고
그가 남긴 콜라캔에선 현기증이 반짝인다
그가 돌아보며 손을 흔들었던가
왼손 아니 오른손
나는 그 저녁을 사실과 다르게 각색한다
수국이 져가던 시간이었고
전염병 집합 금지가 발령되던 날이다
그의 이마에 묻었던 어둠이
마을을 뒤덮었는데 그가 누군지
통 짐작 가는 바가 없다

적당히

당신들의 시를 믿지 않는다
이렇게 써놓고 급 외로워져서
한 줄 더 쓴다
내 시도 믿을 수 없다

급발진 하듯이 한 줄 더 쓰자
세상의 모든 시에 속지 말자
내 말 나보다 더 잘 아실 시인들
적당히 쓰고 적당히 지우세요
적당히

지나간 것은 지나간 대로

들국화의 보컬 전인권(67)이
인천공항을 배회한다는 기사를 읽었다면
당신은 아마도 내 친구일 것이다
그가 코로나 마스크도 쓰지 않고
어떤 날은 공항 로비에서 자고 갔다는
기사를 자기 일처럼 믿는다면
역시 당신은 내 친구
그가 시간표에 없는 비행기를
기다린다고 한 말을 참하게 믿는다면
그 사람은 누구나 내 친구다
소지하고 다니던 거울을 내던질 때
여배우를 기다린다고 말할 때
이웃집 대문에 돌을 던져 입건될 때
기타를 들고 공항 로비에 멍하니 앉아 있을 때
그는 내 친구이자 진정한 당신 친구
청량리역에서 그 전인권이 혼자
검은 비닐봉다리를 들고 기타 없이 강릉행
KTX를 기다리고 있었다면 믿으실라나
바로 옆에 내가 서 있었다면 믿으실라나
나도 종종 오지 않을 누군가를 기다릴 때가 있거든

°제목은 전인권의 노랫말

오사카 행

성묘를 마치고
하루 더 강릉에 머물면서
다음 일정을 생각한다
다음은 없군

강릉역 대합실에 앉아
열차시간표를 본다
열차가 도착하고
열차가 출발할 때마다
다른 꿈들이 피어난다

나는 223번 시내버스를 타고
오사카를 향해 떠나기로 한다

사소설

집 앞에서 시내버스를 타면
일곱 정거장 지나 역 앞에 내려준다
어떤 날은 이십분 쯤 연착하더니
어떤 날은 제시간보다 먼저 지나가서
버스를 놓치기도 했다
정해진 시간표에 맞추어 기다리는 일이
소용없는 일이 되고 말았다
인연 또한 그런 것
기다림을 새로 정의한다
어긋나고 덧나지만 그래도
소도시의 중심가를 시내버스에 실려
흔들거리는 고전적인 기분이 있다

너무나 속물적인

시집을 읽고 독립영화를 보고
유럽음악을 듣는다면 나는 충분히
속물형 인간인 거지
게다가 읽어도 아무 소용이 없는
단편소설을 찾아 읽는다면
누구 붙잡고 물어볼 필요도 없이
그건 그러하다
현실에서 아주 현실적인 너저분함을 지우고
순수하고 아름답고 진실하고 정직한 것들만
고르고 골라서 유리병 속에 담아놓고
자, 당신도 들여다 봐
뭔가 보이지? 안 보인다구? 그럴 리가
봐봐, 저기 보이잖아 보인다니까
이런 망상의 끝을 나는 살고 있다
돌아보니까 그렇다
순수하고 아름답고 진실하고 정직한 것은
없다 오직 나 같은 속물들에게만 그것은
아주 뚜렷하게 보일 것이다

늙은 시인의 노래

바람 부는 날이면
원고지에 또박또박 써넣던 글자들
아득하고 몽롱합니다
시는 보이지 않고 시 비슷한 문장만
잔뜩 몰려와서 생을 헷갈리게 하는군요
눈을 씻고 등불을 당겨놓고
연필을 새로 깎으면서
내게 오지 않는 시를 생각합니다
평생 시를 찾아 헤매었느냐
헛살았지만 대충 성공적이라 말해주면
하루 더 바람 속을 걸어가겠소이다

아름다운 부질없음

올해 마지막 냉커피를 주문하고
얼음 밖에서 커피를 기다린다
내 식으로 여름을 마감하는 의례다
얼음처럼 부드럽게 녹고 싶지만
멋있는 말은 사양한다
지혜 섞인 말도 안 들은 걸로 하자

한의원 병실에서 침을 맞으며 보낸
늦은 구월은 난감한 시였다
난감하다는 말은 해석이 불가한 게 아니라
해석할 건덕지가 없다는 뜻이다

부질없는 것은 부질없고
아름다운 것은 아름답다
정의되지 않아서 무개념으로 남아 있는
이 순간은 아름다운 부질없음이다

고산식물

오늘은 가을
햇빛이 좋고 건들바람 좋으니
버즘나무 제 잎사귀 내려놓고 있는
을지로나 걸어볼까
골목길에 스며 탁자에 소주나 얹어볼까
모처럼 기품 있게 징징거려 볼까

천박스럽게 살았구나
그러지 않고는 배길 수 없었던 세상
그러고도 충분히 실패한 삶이라니
조선식으로 쓸쓸하다
나는 고산식물이 아니다

가을 저녁

한 거 없이 일생이 지나갔다면서
지나간 기차 꽁무니 바라보듯
허망하고 미안한 표정 짓는 사람 앞에서
나도 참하게 전염된다
아무것도 한 게 없다는 자기 결론은
빗돌에 새기고 오래 추모되어야 한다
세상은 뭔가 일으킨 자들에 의해
돌이킬 수 없이 오염되었으므로
위인과 영웅과 예술가들과 문화와
각종 사기꾼들을 역사에서 지워야 한다
허망하고 미안한 표정은 그들의 것이므로
이룬 거 없이 사신 분들이여
그대가 위인이다

절판

가로등 꺼진 골목에서
구면의 절판시집을 만난다면?
잠 덜 든 밤에는 그런 상상
나는 어떤 기분일까
내가 저런 시를 썼구나
저 시집이 나의 페이스북이었구나
시집을 넘기다가 낯설어서
우린 다시 만나지 않기로 했다
그 밤
자다가 일어나
몇 년 치 빗소리를 들었다

나쁜 습관

솔직하게 말한들 무엇이 어떻게 달라진단 말인가
다시 말하겠다 도대체 어디까지 솔직할 수 있겠어
열 몇 살에 시작해 이 나이까지
(이 나이는 괄호 속에 감추며)
시를 쓰고 시집을 내며 사는 것은
어떻게 말해도 나쁜 습관이다
아침에 일어나 하품을 끄고 기지개를 켜면서
휴대폰에다 그날의 시를 쓰는 버릇은
다른 것으로는 대체되지 않는다
나의 시쓰는 습관이 세상 누구에게도
도움이 되지 않는다는 사실을
심지어는 나 자신에게도 그러하다
혼자 부르는 노래이지만 나는 쓰고
또 쓴다 이 말을 투정으로 이해하는 독자가
있다면 말리고 싶다 서글프리라
그런 독서를 나는 사양한다

즉흥적으로

밥집들이 의형제처럼 뜨겁게 붙어 있는
2호선 을삼역 사거리
먹어야 산다는 건 슬픈 낙이다
폰가게에서 새어나오는 음악은
악기편성이 간단해서 몸 깊이 달라붙는다
손으로 노랫말을 뜯어내면서
옛날 시인의 시를 입술에 옮겨본다
시를 믿고 어떻게 살어가나
천근만근의 투명함으로 가을이
내 갈비뼈 사이로 흘러간다
감당할 수 없는 가벼움이 나를 뒤흔든다
빌딩 그늘에 앉아 숨 고르고 있는
일흔 직전의 남자를 본 적 있으실까요?
모든 희망은 복수의 형태로 돌아온다
만주를 떠돌다 사라진 스님의 법명이
바람처럼 가물거려도 어쩌지 못한다
행선지를 까먹은 걸음을 즉흥적으로 돌려
와이파이 없는 곳으로 가야겠다
시를 믿어? 말어?
60초 뒤에 다시 생각하자

내가 찾던 책은 아니지만

존 버거의 에세이
내가 찾던 책은 아니지만
초록색 속표지에 바삐 흘려쓴
내 연필 글씨가 눈에 들어왔다
내 생각이라는 건지
책 속의 인용이라는 건지
구분이 가지 않은 채로 옮겨 쓴다

일흔 살이 된 남자의 오른손이 말한다
들어라
귀 먹었다고?
그렇구나 당신의 쓸쓸한 난청을
오래도록 사랑하리라

시월문학상

김소월 김종삼
김수영 김영태가 앞자리에 앉았다
어쩌다 김씨 종친회가 된 셈
강의가 있던 황동규는 오고 있는 중이었다

수상을 사양한 시인은 나타나지 않았다
누구는 시건방지다고 욕했고
누구는 재미있다고 낄낄거렸다

수영이 소월에게 표준말로 물었다
형님은 그래 어떤 상 타먹으시었소?
소월은 말한다
민하게스리 뭘 그딴 걸 물으시나

한국문학사는 그날 밤
낙원동으로 흘러가 거나하게
화끈하게 저물었을 것이다

바지시인

집사람과 창동에 건너가서 평양냉면을 먹고 왔다
늦봄도 다 지나간다 붙잡아도 소용없는 일
흰손을 비비면서 세월을 전송하는 나는야
바지시인

연구

젊은 연구자가 쓴 논문 초록을 읽는다
연구라는 낱말이 외설적으로 눈에 든다
알음알이가 부족하다는 증상인가?

들어가는 말만 쓰다가 나가는 구멍을
찾지 못하고 실종되는
지루하고
어지럽고
무논리적이고
쓸쓸한
논문을 쓰고 싶어지는군

제목은
박세현 시의 지나간 미래 연구

누구나 할 수 있는 말

김영태는 중요한 시인입니다.
설명해 줄 수 있나요?
없지요. 중요한 시인에 대해 주석을 다는 일은
그 자체가 무망한 메타포지요.
설명할 수 없으시다?
네, 그저 중요합니다. 너무 중요하니까요.
홍상수 좋아하더니 흉내를 내는 거 아닌가요?
그렇게 말하면 홍상수도 잘 모르고
나도 모르는 일이 될 겁니다. 홍상수 영화
본 거 있으실까? 나는 오히려 홍상수에게
영향을 주고 있다고 믿거든요.
어떻게요?
이해하기 쉬운 예를 든다면,
그의 영화가 딱 나오잖아요. 그러면 나는 즉시
개봉관을 찾아가 영화를 보거든요.
그게 영향과 어떤 상관인지 모르겠군요.
상관 있어요, 너무 충분히. 개봉 첫날 세 명이 내 영화를 보고 있구나. 음. 저들을 위해서 얼른 새 영화를 또 찍어서 내일 개봉해야겠구나. 감독에게 그런 결심을 하게 만들었다면 그거 이상의 영향력이 있을까요?

이게 전부인 것처럼

오늘도 잘 살았다
넉넉함도 아쉬움도 없이 살았다
들이마신 숨 내 쉰 숨
이게 전부인 것처럼 살았다

얻어먹고 갚지 못한 밥과 술과
놓친 버스와 기회와 결례와
연한 슬픔과 오지 않은 기쁨들
그게 다 뭐라고

잘 살아야지 마음먹는 순간에도
이게 전부는 아니라는 듯이
마음 밑바닥으로 몰래 흘러가는
살아보지 못한 시간들

살았다는 말이 무슨 뜻인지
이제 나는 모르겠다
영 모르는 삶 앞에서

우산 빌려드릴까요?

이번엔 틀렸다 철드는 거
다음 생에 온다면 꼭 철들어야지
그런 적막한 결심
비오는 날 가랑비 정도야 옷 젖으면 어때
망가진 우산 버리고 오가 역 일번 출구로
빠져나가 골목을 돌아가 속으로 신음 같은
소리를 지른다 오래 된 후진 골목에서 나는
왜 이리 편한 거니 몰라도 알 것 같은 마음
나를 버리고 달아난 시간들이 콩나물국밥집
간판처럼 엷은 어둠에 젖고 있다
산문집 교정을 마치고 돌아오는 길
시 하는 사람이 산문집은 왜 내는 거냐?
철없는 질문도 비에 젖어든다
건널목에 행려처럼 서서 비를 맞는데
등 뒤에서 누가 말한다
우산 빌려드릴까요?

금홍이 보고 싶은 날

후줄근한 바지
피우던 꽁초 길바닥에 사납게 내던지며
양아치처럼 그보다 더 불량스럽게
살고 싶었는데 살고 보니
커피잔에 지저분하게 묻은 입술자국 같은
생과 생이었어
이렇게 써도 아니고 저렇게 말해도
삶에는 가 닿지 못하고 부서지는
파도소리일 것이다
김소월과 김해경과 김수영과
또 한 인간 김종삼
저런 김씨들처럼 살고 싶은 건 아니면서
그네들도 안 살아본 세상사 잡음 속을
걸어들어가보고 싶을 때가 있지
전차에서 내려 인력거를 타고
돈이 없어 인력거꾼에게 망신당하면서
그래도 씩씩하고 보람차게 제비다방에
들어서면 저 희미한 세상 구석에서
누가 반갑게 흰손을 흔들어줄지도 모른다
여기야 여기
신념은 없고 사랑만 가득한 인류가 일어서서

날 오라 손짓할지도 모르는

금홍이 보고 싶은 날

받아주신다면 좋겠고

명예교수로 산 지 어언 몇 해
내 직장에는 명예교수 제도가 없었지만
명예퇴직으로 물러났으니 명예교수인 셈
뭘 그리 따지시나 그렇다면 그런 거지
마른하늘에 천둥치듯이
아닌 밤중에 홍두깨 들고 다니듯이 사는 거지
이 문장 써놓고 보니 생각보다 은근하다

☆

여덟 번 째 산문집 교정을 보면서
이렇게 많이 쓸 필요가 있었나 하는 생각
삶문집이 그렇게 쌓였다니
저걸 다 어떡하나 빈 걱정

☆

권수가 어떻게 되었든
내 글을 읽지 않은 당신들에게는 생애
첫 번 째 책이 되는 거잖아요
그나마도 읽는다는 가정법 아래서지만
아무튼 어떤가 내게 없는 명예를 조용히
반납하는 밤이네 받아주신다면 좋겠고

수수하게

문틈으로 내다보는 안개 낀
시월 아침 좀 순수하고 싶다
없는 사랑도 좀 꾸어오고 싶다
순수의 자격이 없다면 수수하게
수수하기가 더 어려운가?

창문 열고 안개의 살을 만져보니
아무것도 만져지는 게 없는데 손 가득히
꿈틀거리는 무엇을 손에 꼭 움켜쥔다
수수하게 순수하게 사랑스럽게

한 줄도 쓰지 않아도 다
쓴 것 같은 날
그런 날 있으리

그런 줄 알면서도

가을비 참
참하게 온다 그래서

다음 말이 입에서 막혀
우물쭈물 하는 사이에도 비는 내리고
거 무슨 미처 못했던 작별인사 같기도 하고
장면을 바꾸는 음악 같기도 하다

내가 써놓고도 설득이 되지 않는
문장을 설득하느라 구시렁거린다
설득해도 달라지는 건 없지만
그런 줄 알면서도

번개팅 같은 시만

소작농사 같은 시는 쓰지 말자
시인들의 유언비어에 속지도 말자
작심하고 보니 그동안 썼던 시가
불쌍하다 미안하다
시라는 끄적거림

뭘 모르며 쓴 시
안다고 알 것도 없는 시
번개팅 같은 시만 모여라
어젯밤 꿈에서 처음 만난 사람
꿈깨고 일어나 인사한다

내 시를 설명하는 자
삼대가 복잡하리라

소설의 끝

비오다 그친 시간
저녁이 와서 의자에 앉는다
옆에는 개봉하지 않은 가을호 문예지
나만큼 연식이 찬 전등의 스위치를 올리고
딸깍 시를 읽는다 자기만 밀고 나가면서
자신도 모르게 따뜻해지는 시가 좋은 저녁
사랑이 부족한 나 같은 인종으로서는
쓰기 어려운 시가 전등 밑에서 뒤척거린다
생수를 마시고 다시 생각한다 꿀꺽
밤이 이대로 깊어진다면 시가 아니라
소설을 쓸 것 같다 웬 소설인가
배경은 중국 장춘 소재 예술대학 문창과 교수실
주연공은 나를 무척 닮은 나
나는 연구실 문을 걸어닫고 시를 쓴다
거리에는 비가 내린다 보슬비
나는 강의도 빼먹고 시만 쓰다가
학교에서 쫓겨난다는 초라한 줄거리
시쓰는 장면만 지겹게 묘사되는 소설
나는 매일같이 노트북 자판을 두드리다
정신없이 두드리다가 창밖으로 노트북을
획 던져버리는 장면이 소설의 끝이다

사는 게 그렇듯이
현실은 소설보다 더 제멋대로 전개된다
소설은 미완으로 완성된다 그래야 소설이다
치우지 않은 선풍기 옆 의자에 길게 누워
가을이 졸고 있는 밤 나만 남겨놓고
밤이 밤 속으로 들어가는 밤

어마어마한 친구에게

그대도 알지만 나는 시를 읽지 않는 사람
나는 보수적이고 실용적인 사람이라네
그대가 보내준 시집은 꼭 읽는다
시가 좋아서가 아니고 시인의 헛수고에 답하는
나같이 막사는 축의 의례라네
고마워할 이유는 없는 거지
이번 시집도 단숨에 읽지는 못하고
여러 번 쉬면서 읽었다네
어렵고 까다로와서가 아니라 걸림 없이
술술 읽혀서 시가 이래도 되나
그런 의아심으로 며칠 남지 않은 시월의
끝자락을 내다보고 있다네
시 쓰는 척 하며 가을볕을 축내지 말고
연락주시게
단골집에 가서 조용히 잔을 기울이세
지인들 없는 집이야

도망치다 붙잡혀와 시를 쓰는 심정으로

일곱 송이 수선화

일곱 송이 수선화를 들으며
좀 울고 싶었다
책상 모서리에 쌓이는 겨울햇살을
어눌한 손으로 어루만지며
최승자의 산문집을 펼친다
이런 책이 있었구나
아까워서 읽지 않고 서가에
따로 꽂아두기로 한다
좋은 책은 읽는 게 아니다
그건 저자에 대한 예의가 아니다
최근 내게 깃든 생각이다
노래가 조용히 끝나간다
생각의 골짝을 지나가는 시냇물 소리
가난한 이 마음을 당신께 드리리°

°일곱 송이 수선화

아주 긴 시

첫 줄을 쓰면서
이 시는 언제 끝날까 생각한다
며칠이 걸릴지 몇 달이 걸릴지 모르겠다
어쩌면 끝을 보지 못할 수도 있다
보리밭 너머에서 숨어 울던 산빼꾸기
이 긴 시의 행간에서 나는 울고
웃고 춤출 것이다
필생이 휘날릴 것이다
아마도

희미하게 떠오르는 것들

오늘은 진리에 대해 말하겠다
진리
진리 같은 건 없다
그런 게 있다고 속삭이는 사람
조심할 것
진리는 어디에나 있되
멀리 있고 숨어 있다고 선동하는 학자
진리만큼 멀리 할 것
진리의 맨몸을 보고 싶어한다면 대신
이렇게 말해줄 수는 있다
강원도 강릉시 사천면 진리에 가면
당신이 찾던 진리와 맞닥뜨리게 된다
놀라지 마실 것
파도 치고 갈매기 홀로 날아오르는
항구 구석에서 깜빡 잊은 듯 작은불 켜놓고
밤을 새는 배도 있을 것이다
그 불빛으로 희미하게 떠오르는 것들
속는 척 하면서 내 말을 믿어보실 것

독립영화

남들처럼 시를 쓰고 남들처럼 시집을 묶고
남들처럼 누군가의 좋아요를 기다린다
봄에는 봄날 같은 시를 쓰고
여름에는 소낙비 같은 시를 쓰고
가을에는 기다림 같은 시를 쓰고
겨울에는 바람 같은 시를 쓴다
기쁠 때는 기쁜 시를 쓰고
슬플 때는 슬픔 없는 시를 쓴다
마치 시인이라는 듯이
정말 시인이라는 듯이
한 점 외로운 의심 없이 시를 쓴다
이제는 시인의 가면을 벗고
내가 입고 있던 의상을 바라볼 때
기상뉴스에도 없는 싸락눈 내리는 날
창밖에 누군가 맨몸을 입고 떠나간다
수고했으니 시시한 남자여

오늘도 걷는다마는

당신들은 역사를 독점하시오
나는 덧없음을 독점하겠습니다
정현종의 말이다
어디서 읽었는지 출처는 까먹었지만
시인을 따라서 밑줄을 긋고 있다
시를 계속 이런 식으로 쓰면 안 되겠다는
반성을 하면서 안목항까지 걸어갔으면서도
대안은 없었다 나야 그렇지
그러니 쓰던 대로 쓰다가 없어지자
기댈 역사 같은 건 애시당초 없었고
종류가 다른 덧없음만 더럽게 남았거든
이젠 시쓴다는 말은 숨기고 살자
큐알코드도 찍지 말아야 한다
그저그런 시인이라는 쓸데없는 소문도
정부는 수거하고 있을지도 모른다
조심하자 근신하자 겨울 하늘이다
운전면허증 반납하듯 어디 가서
조용히 시인을 돌려주고 오겠다
시에 개기면서 살았던 시간은 오로지
나의 사사로운 덧없음에 묻어버리자

눈 오는 날

멀리서 후배가 와서 커피를 갈아 마신다. 밖에는 함박눈. 우리는 마스크를 벗고 이야기를 나눈다. 밀린 안부를 묻고 근황을 교환한다. 우리는 각자 잘 있다. 밖에는 여전히 함박눈. 내 산문집에 서명을 부탁하기에 휘갈겨 이름을 써주었다. 흘림체가 책을 말해주는군요. 후배가 말했다. 그러더니 후배가 물었다.

후배: 요즘 뭘 읽으세요?

나: 햇빛 구름 미세먼지 그런 거.

후배: 많이 읽으시네.

나: 말 놓지 마라.

후배: 아, 네 죄송.

나: 죄송합니다.

후배: 요즘 관심 가는 문예인 있으세요?

나: 있다.

후배: 누구요?

나: 한유주.

후배: 소설가 말인가요?

나: 그렇다.

후배: 한유주 소설 많이 읽으시나 봅니다.

나: 한 편도 읽은 거 없다.

후배: 그런데 어떻게 좋아한다고 말씀하세요?

나: 나는 안다. 이름만 봐도 소설 잘 쓸 거라는 거.

후배: 미신이군요.

나: 읽어 봤어?

후배: 네. 저도 좋아하거든요.

나: 거봐라. 내 말이 맞잖아. 대신 읽어줘서 고맙다.

후배: 그가 그러나 아름다운을 번역했습니다. 제프 다이어.

나: 알고 있어. 지속의 순간들도 번역했다.

후배: 그것도 제프 다이어지요.

나: 그것도 알고 있다.

후배: 언제 한유주 만나러 가실래요?

나: 그러든가. 우리가 작가를 잘 아는 것 같은 다정함이 깃드네.

후배: 그런 게 문학의 근친성 아닐까요?

나: 각자도생!

후배: 언제쯤이 좋겠어요?

나: 다음 생이면 좋겠지. 재즈의 한 가닥에 묻어서 말이야.

후배: 눈이 그쳤습니다.

아주 사적인 시

꿈에 누가 다녀갔다
그 자리에 꽃 한 송이 놓여 있다
꿈 있던 자리가 서늘하다는 건
내 삶이 그렇다는 뜻이겠다
지금 나는 너무 솔직하다
솔직한 건 시가 아니잖아
열린 창으로 바람이 들어와
내 초상을 한 겹 벗겨낸다
나는 얼굴을 움켜쥔다
바다는 며칠째 파도가 높고
관광객들 옆에서 새들이
시린 발을 해변에 묻고 있다
여기까지 쓰면서 무슨 말을
하고 있는지 나도 모르겠다
그러면 누가 알지?
해몽은 하지 않기로 한다

잡음

옛날간날에 녹음된 엘피판을 들으면
비포장 길에서 먼지가 일어나듯
마음이 자욱해진다
노래가 아니라 노래를 감싸고 도는
잡음을 듣기 위해 귀를 모은다
옛날 엘피가 좋아서? 아니다
음악이 좋아서? 아니다
잡음이 좋아서? 그도 아닌 것 같다
녹음기술이 지우지 못하고 남겨둔 소리는
가수가 하고 싶은 말인지도 모른다
음악이 아니라면 없었을 잡음
엘피에서 새는 잡음을 듣고 있으면
내 생각이 왜 저기서 흘러나오지
그럴 때가 있다는 얘기

눈보라

이 말이 왜 내게 와 꽂혔는지 모르겠다
눈보라에게 물어볼 일이다
며칠 전 산책길에 내 속으로 들어와
무작정 내 살 속 어딘가에 살고 있다
입으로 중얼거려보고
백지에 글자를 써보기도 한다
그렇다고 마음의 날씨가 바뀌는 것은 아니다
안목 커피거리를 지나갈 때
앞서 걸어가던 중년길의 여자가
스타벅스를 쳐다보며 남편에게 왈칵 쏟던 말
강릉까지 와서 스벅 마셔야겠어?
이 동네 커피 마시자! 응?
번쩍, 내 몸이 허공으로 들렸다가
미처 내려오지 못하는 그 사이로
안목 해변에 눈보라 치기 시작했다

삼척 인터뷰

내가 시집을 냈다는 것을
모르는 사람들이 많아 너무 많아
할 수 없이 판권 밑에 찍힌
경고 문장을 조용히 수정한다
내 시의 복제와 전제를 허락합니다
저자의 허락 없이 누구나 사용하세요
내 정신도 가져다 써도 무난하겠습니다
오늘은 파도치는 절대고도에서 놀았다
날 본 사람 아무도 없을 것이고
날 기억한 인류도 없을 것이니 나는
대체로 완전한 행복에 들었으리라
나도 당신들 기억할 힘이 없다
나를 한번 더 잊어달라
나는 어제 날짜로 잊었다
정신은 늘 노숙 중이다

당신의 초과분

시를 완성하고 나면
시에서 시가 사라진다 이런!
시는 금세 어디로 갔니?
사랑이라 쓰면 사랑이 사라지고
당나귀라 쓰면 당나귀가 사라진다
꿈속에서 꿈을 꾸고
살면서도 더 살려고 애를 쓴다
닭알 넣는 걸 깜빡하고
닭알 없이 라면 끓이며 저녁을 달구는
참한 인문학적 허기
나는 당신이 그립다
내가 생각하는 당신이 당신이 아니듯이
당신은 당신의 초과분일 것이고
나도 내 속에 없다 그게
우리의 진리가 아니던가요?

예가체프

오늘도 예가체프다
나는 예가체프가 좋다
이유는 두 가지
오래 전에 죽었을법한 무명시인 같아서
막연한 연민과 동경이 생기고
또 하나 그보다 확실한 이유라면
내가 예가체프밖에 모른다는 사실이다
어쩜 좋겠는가 싶다
철학이 눈밑주름을 해결하지 못하고
시는 현금으로 돌아오지 않는다
내 탓은 아니다
오늘은 어제보다 더 오래 걸어야겠다

시를 떠나는 순간

시는 나의 하늘 나의 고독 나의 사랑
나의 숙취 나의 발광 나의 하품
내 시집을 돈 주고 사신 분들에게
귀한 복이 찾아오길
내가 누군지 모르는 분들은
생략
늘 좋은 시를 쓰고 있다는 거
이거 수상하지 않니
나의 시는 시를 다 쓰고 난 뒤
그 뒤끝에 남는 쑥스러움이다
누군가 읽어보고 괜찮군요
이렇게 말해주는 순간에 나는
내가 쓴 시를 미련 없이 떠나간다
미안하다 나의 시
태워버리고 싶을 뿐인 시여
우리 서로 모른 척 하자

어떻게 되겠지

꿈도 그렇고 살림살이도 그렇지만
하루하루 견디는 거야
날씨는 좋군
위대하고 가치롭고 자유로운
그러나 이런 말들 웃기지 않더냐
당신은 어떠신가
나랏일 떠맡겠다고 나선 주책없는 사람들
누구를 지지하고 누구는 패스하는 일
그도 싱겁지 않더냐 이런 연극
날씨도 좋은데 오늘 생각 없이
커피나 마시고 지평선 너머까지
가보지 않으련?
입춘이잖아 무조건 봄이잖아
바쁘다고? 물론 바쁘시겠지
나 혼자 건들거리면 된다
오늘 하루치 삶은 또
어떻게 되겠지

2월

마시다 남은 커피는 이미 식어서
다시 되돌릴 수 없는 시간으로
들어갔다 너는 아느냐?
입춘을 기다리는 아무개의 마음 구석에
사정상 피어난 수선화 두어 송이
참을만한 두통을 더 참고 그리고
근본 없는 색소포니스트의 점도면에서
최대의 사랑을 들으려고 낮에 걸어둔
페이스북 링크를 누른다
정지된 이메일주소 같은 시를 쓰고
내일은 바다를 봐야겠다고 한번 더
쓴다 바다를 봐야겠다
누가 찾아와 봄 없는 저녁을 흔들기에
나가봤더니 토성에서 온 사람 그가
나를 깊게 안아주었다
이러지 마요 나는 내일
바다를 보러 갈 겁니다

셀카

웹진에 시를 보내면서
안 입던 와이셔츠를 꺼내 입고
폰으로 셀카를 찍는다
드디어 제대로 외롭구나
사진 한 장 박아줄 사람이 없으니
(속으로 기꺼이 웃음)
그러면서 한 컷 찍었는데 어딘가
표정은 비공식적이고 전근대적이다
한물 아무렇게나 사납게 흘러간
문예인의 초상이 거기 있다
서재 모서리의 배경탓도 있다
상투적인 구도이지만 이제는
상투성이 사랑스럽다
그 뻔한 실험성이 갈 곳 없는 나의 전위다
집사람이 보더니
납북시인 같다는 인상비평을 던졌다
망명시인보다 나은 건가?

내가 분명해지는 순간

내 시집 갈 데까지 가보는 것에서
두 군데 오자가 나타났다
마지막까지 보이지 않던 글자들이다
어디 숨었다 이제 온 거니
언제나 사후에 당도하는 손님
얼른 오자 일행을 정중하게
내 정신의 아랫목으로 모신다
소장본이야 이렇게 모시면 되지만
이웃에게 준 책의 오자는 어떻게 할 것인가
오자를 오자로 사랑해주시길 부탁드립니다
오자가 저자를 찾아온 아침
내가 분명해지는 순간이다

후문

그이는 지상에 꽤 오래 머물렀다
시도 쓰고 꿈도 꾸면서
골목길을 걸어다녔으며
친구도 없이 적도 없이 조용히 살았다는
후문이 있는데 (복도 많지)
바람에 불려가 지금은 흔적이 없다
파로아 샌더스를 자주 검색했고
페이스북엔 제임스 조이스와 글렌 굴드의
초상이 여럿 올라가 있었다
그이는 듣보잡을 숭상했으며
족보 없는 예술가들의 사당을 찾아가
제사를 올리기도 했다는 설이 있다
만년에는 몸에서 그리움이 줄어들어 걱정이라고
중얼거렸다는 후문이 남아 있다
그이의 뒷문이다

생시

때: 2022년 2월 어느 날
곳: 강릉 중앙시장
출연: 부처로 가장한 부처와 나
시장에서 감자적을 사먹으러 들어가던 나와
부처가 만나면서 나누는 몇 토막의 대화

나: 부처님 어디로 가시는 길입니까
부: 갈 데까지 가는 길이라네
나: 공양은 하셨습니까
부: 비빔국수로 때웠다네. 쇠고기 육수가 좋았다네. 거사도 잡숴 보시게. 저 집이야. 노보살이 솜씨가 좋더군. 고기는 빼고 줘서 서운했지만.
나: 어디 가서 차라도 드시지요.
부: 갈 길이 남아 있다네. 거사는 좋겠어. 목구멍으로 찻물이 넘어 가고.
나: 네.
부: 소화제 있으신가.
나: 속이 안 좋으십니까.
부: 저녁에 삼겹살 약속이 있다네.
나: 부처님도 육을 하시는군요.
부: 분별심을 덜어내시게. 법문이라네.

나: 언제 또 이곳에 오십니까.

부: 나도 알 수 없다네. 인연이란 마른하늘에 번개 칠 때 그 번쩍임에콩 구워먹는 순간 같은 거라네.

나: 기다리겠습니다.

부: 번개 치면 뭐하겠나. 구워먹을 콩이 손에 없는데. 나를 기다리지 마시게. 나는 다시 오지 않는다네. 깨고 보니 꿈이 아니라 생시였다.

가공인물

된장국을 끓였는데 입맛에 딱 맞아서
선 채로 박수
입때껏 내 입맛도 맞추지 못하고
살아오신 불쌍한 나날에 심심한 위로
시 쓰는 척 사기를 치면서
사기를 제대로 치지도 못하면서
찌질하고 궁한 사기술에도 위로
아시다시피 나는 가공인물이었어
시도 쓰고 강의도 하고 책도 쓰고
주인공인 척 살았지만 난 하수인이었지
대본을 쓴 사람은 따로 있었다니까
나는 그저 연기만 한 거라구
꿈속에 들려온 긴 빗소리
지방도로에서 흠뻑 맞았던 눈보라
볼펜으로 꾹꾹 눌러가며 쓰던 손편지
그런 건 대본에 없었을 거다
대본대로 살 때가 좋았다
대본의 행간에서 문득 나를 만날 땐
고개를 돌렸지 두려웠거든
낯설었어 너무
누구냐고 물어볼 뻔 했으니까

무소식이여 영원하라

나에겐 커피잔이 두 개 있는데
하나는 아침용이고 하나는 저녁용이다
어스름할 때 무언가를 잊고 싶다는 듯이
잊을 것도 없다는 듯이 눈을 감고
저녁용 커피잔을 손에 든다
아침에 커피잔을 찾으니 보이지 않는다
거실 책상에 있거나 식탁 위에 있을 거라
몇 번 헛걸음 하면서 도망갔나?
그러면서 서재방으로 들어간다
여기 있었구나
레이 브라운과 찰리 헤이든 사이
황동규와 김수영 사이
없는 생가와 중계동 아파트 어디
내가 길 잃은 책갈피 사이로 사라졌던가
무소식이여 영원하라

살아 있을 때

경로 넷이 서울숲을 걸었다
세상을 걱정하며 건강얘기를 나누며
손주자랑도 하면서 숲길을 걸었다
늘 하는 얘기가 늘 그 얘기다
식당 대기자 명단에 이름을 걸어놓고
다시 숲길을 걷다가 다른 식당에서
소곱창 전골을 먹었다 낮술도 한 병
성수동길을 걸으며 여기 다시 걸을 일
어려우리란 느낌으로 오월을 지나간다
커피를 마시고 악수 그리고 경로연합은
각자의 노선으로 헤어졌다
잎이 푸를 때 같이 푸르자
살아 있을 때 살아 있자

이게 다인가

나도 모르게
중얼거리고 있었다는 거다
돌아보니 아무것도 없다
살아온 나날
열심으로 죽어온 시간들
아무것도 남아 있지 않았다는 거다
정말 이게 다인가
미련을 한 줌 보태면서 다시 돌아보는데
저건 뭐지?
저 멀리서
휘파람 불고 서있는 사람
잡음을 사랑했던 사람인가
기억의 불꽃이 희미하게 흔들린다
입김으로 후 불어도 꺼지지 않는
삶의 잔불이겠지
오래 살다보니 이런 시도 쓴다
아직도 시란 무엇인가

왜들 전위적으로 살지 않는지

분방한 척 글을 쓰고 싶은데
말이지 그건 이루어질 수 없는 사랑
같은 것이더라는 거지
들판에서 아니면 시장통에서 나도
모르는 소리를 맛이 간 듯이 외치면서 말이지
누군가 들었다면 죽일 듯이 달려들 그런
말이 튀어나온다면 더 바랄 게 없겠지
구스타프 말러의 11번 교향곡이라면
그럴 수 있었을지도 모르지
11번은 없다니 그나마
다행이랄까 대신 전위인 척 하는
시인과 말을 섞어보고 싶다
왜들 전위적으로 살지 않는지 그에게
슬쩍 물어보고 말이야
대답은 당장 못 들어도 좋아
십년 쯤 뒤도 괜찮고

헛생각

공모주 두 주를 받았는데
언제 팔아야 하나 매일 주식시세를
들여다보는 하루가 싱싱하니 자본주의 만세다
몇 푼 되지는 않아도 이익이 나면
새로 나온 김수영선집을 살 궁리를 하다가 급
정신을 차리고 계획을 바꾼다 국민된 도리로
신청한 공모주였으니 멋들어지게 탕진하자
일단 시인처럼 먹는 거야 뭘 아무거나 닥치는 대로
남는 게 있으면 길냥이 거두는 갯맘에게 보시하자
아프리카에도 보내자
역시 자본은 늘 부족하구나
욕망이 존재보다 부지런하다더니
헛생각만으로도 밥값을 한 듯 배부르다

이렇습니다

어떻게 지내십니까?
시도 볼 수 없고

갑자기
느닷없이 이런 안부문자를 받는다면
당신은 어떻겠는가? 궁금하다
나요? 나는 에, 또 그러니까 정신이
아득해질 겁니다 틀림없이
잠시 검문 있겠습니다 그러면서
거수경례를 찍어 붙이며 불심검문을 하던
옛날 헌병이 떠오른다
주머니를 뒤지는 시늉을 하며
황망하게 자신을 돌아보는 날이다

쓸쓸하지만 불가피한 문장
매일 소(小)망하고 있습니다

막다른 골목에서

막다른 골목은 지금 막
다다른 골목이다 여기서부터는
길이 더 없다 그것을 확인하는 장소의
시는 더 갈 곳 없는 나의 처지일 것
내가 쓰는 시에는 시가 없다는 현타가 밀려온다
그러니 또 시에서 달아나야 한다
한 사람에게 머물 수 없는 바람둥이의
벌거벗은 외로움을 알겠다
상대에게 없는 것을 탐닉하는 외로움이
사랑이라면 오늘은 그것을 시라고 부르겠다
내게 없는 것을 주려고 애썼던 나여
나의 시여 생면부지의 두통이여
오늘 다다른 막다른 골목에서
무명의 쓸쓸함에게 말을 건네기로 한다

하방에서

이제 내 나이 일흔
내 탓은 아니지만 잃은이다 그런데
몸에 붙은 도둑질이라고 어쩌자고 시쓰는
버릇을 끊지 못하고 사는지 그런다고
더 행복해지는 것이 아닌 줄 알면서
한 줄 쓰고 한 줄 지워낸다 하방에 내려온 지
보름이 지나간다 아무에게도 연락하지 않았고
아무에게서도 연락이 오지 않았다 다들
내가 죽은 줄 알겠지 이렇게
평화로운 줄 모르고 살았다니 인류는 어울려
살아야 한다는 말은 음모이거나 정치적
수작질이다 여기도 종편 나오고 트위터 본다
본다고 달라질 것이 없고 안 본다고
달라질 것도 없는 하루 또 하루하루
나는 초월한 게 아니라 초월을 기각했다
시집을 받은 H선생님 문자메시지가 나의
정적을 조용하게 흔들었다
축! 박세현은 역시 박세현
시가 없는 자리가 더 시적임을 눈치채는 중
다 살았는데 더 살어?
H선생님, 이제 시 없으면

더 잘 살 것 같습니다 문자를
지우고 가만히 문자통을 내려놓았다

나는 모른다

나는 모른다
이것은 청년시절에 읽었던 최민의 시
오늘 이 시를 불러본다 때는 정월 대보름
시는 그의 시집 상실에 수록되어 있는데
서가 어디쯤 변색된 서적 사이 후미진 곳에
꽂혀 있겠지만 다시 읽을 엄두는 나지 않는다
그때 그 시절 그 생각들
갈피를 잡지 못하고 파도에 쓸려간 시간을
다시 만날 이유가 없다
지금은 삶의 가닥이 잡혔느냐 하면
그건 아름다운 오산이다 여전히 내 삶은 여진이요
검은 여백이자 할말없음이다
슬그머니 서가에 가서 확인해보니 최민의 시집은
박정만과 황지우 사이에 꽂혀서 늙어가고 있었다
목차만 일별하고 집을 나선다 명주예술마당을 가로질러
명주동 오랜 뒷길을 걸어간다 걸음은 바야흐로
경강로에 접어들고 한국은행 앞에서 백팩을 메고
서서 우는 남자를 딱 만났다는 거다 나이는
이십에서 칠십 사이로 보인다
설마 나는 아니겠지
저 자가 왜 우는지 나는 모른다

우는 남자를 더 크게 울도록 방해하지 않으며
독립영화관 신영극장 앞을 지나갈 즈음에
나는 남자가 우는 역사적 맥락을 알 것도 같았다
내 안에 출렁거리던 잔파도
그것도 울음이었을 것이다
이하는 설명하지 말자
그게 좋겠다

보스톤에 눈이 온다

지인의 실시간 카톡
여긴 약간의 봄비 지나갔다
어디는 비오고 어디는 눈오는 게
대수는 아니겠지
내 무지 곁에 앉아서 시를 쓴다
삶이 시를 시늉한다
오늘 일진은 좋으려나
머리말에서 트위터처럼 지저귀던
참새 같은 참새가 오늘은 오지 않았다
새들이 앉았던 자리에 남은 침묵
시가 끝난 자리였을 것
기도하는 법은 모르지만 기도하자
내일도 침묵하겠습니다

두 대의 고물 노트북을 위한 시

쓸쓸하여라

우크라이나를 지지하는
트윗 한 줄을 쓰고 잠을 청한다
잘 되어야 한다
음담패설 같은 정치는 그쳐야 한다
다들 제정신이 아닌 듯
나도 정상은 아니다
불암산을 지지하고 당현천 물오리를 지지하는
양다리를 걸치면서 하루를 건너왔다
누구의 앞잡이나 백댄서가 되어
목청을 높이고 있는 당신들을 나는
사랑한다 그것이 그대의 외로움이라는 사실도
이해한다 그렇지만 나는
그대의 진심을 크게 믿는 편은 아니다
집으로 돌아가 휴대폰을 끄고 진정으로
외롭기를 바란다
나처럼 오늘 밤 믹스커피와 함께
어처구니없는 삶에 등을 대고 잠들기 바란다

한 줄도 쓰지 않고

한 줄도 쓰지 않고
한 줄도 읽지 않고 며칠을 살았다면
믿어줄 사람 많을 것이다
먼 산을 보고 있는 당신은 혁명에 실패하고
사랑도 말아먹은 나의 동지다
(사랑과 혁명은 실패의 동의어)
세상일 앞뒤가 맞지 않는데
앞뒤가 딱딱 맞는 소설은 덮어도 되겠지
자기도 모르는 증상의 구멍을 메우려고
시를 썼다면 요즘은 주로 사설학원이나
개인교습으로 시쓰기를 배운다
(일타 강사여
그대에게 문학의 수호신이 강림하기를)
한 줄 읽지 않고도 충만한 이 하루를
뭐라고 써야 하겠는가
나는 더 묻지 않기로 한다

시여 쓸쓸함이여

이제
누구에게 시집을 주는 일이 버겁다
기껏 내가 껴안은 어떤 굉장한 쓸쓸함을
시라는 그릇에 담아놓고 혼자 맛보기 아까워
포장해놓은 것이 이른바 시집이다
내 입맛에도 짜고 시고 매운 것을 이웃에게
맛보라고 건네는 건 더 못할 노릇인지라
포장을 다시 풀어놓고 이것저것 맛본다
눈발 흩날리는 저녁 쓸데없는 줄 알면서
내가 쓴 시의 초고를 고쳐쓰고 있다
시여 훠어이 쓸쓸함이여 훠어이
징징걸음이여
우리는 이렇게 한세상 건너는구나

아아

시에서 손을 뗀다는 것은
시를 쓰지 않겠다는 선언은 아니고
자판에서 손을 거두는 휴식을 뜻한다
눈코 뜰 새 없이 살아보지 못했으므로
벌판처럼 펼쳐진 한나절의 여유와 한밤의 여백을
나는 쉼 없이 걸어가야겠다
어제는 꿈 그제도 밤꿈 온통 꿈이 상연되는 건
미처 살아보지 못한 일들이 가면을 쓰고
대본 없이 찾아오는 것이리라
들어갔는데 나오는 문을 찾지 못하고
헤매다가 꿈은 끝나지만 깨어난 뒤에야
출구를 알아차리고 다시 꿈속으로 들어가려는데
아시겠지만 이번엔 입구를 찾지 못하겠다
아아
이거 얼마 만에 시에다 써보는 탄식이냐
1970년대 시에서나 만나던 구식 감탄사
아아
내일 밤 다시 꿈을 꾸어보기로 하자
거뜬하게 이번엔 출구를 찾을 것이다

이따금 소식을 전해주시오

시에서 격정을 덜어내라!
루 살로메가 릴케에게 조언했다는 말
루가 내 시를 읽는다면
(그냥 해보는 소립니다)
격정을 더 끌어올리라고 했을 것이다
격정 부족은 언제나 나의 걱정거리
그래서 외로움은 나의 직장이었던 것
(몇 줄 더 쓴다)
사후적으로만 당도하는 장소가 있다
사랑도 그런 거
사랑한다가 아니라 사랑이 끝난 훗날의
속절없는 바람소리 같은 거
어느 순간에 사랑했었구나로 완결되는
미완의 현재형처럼
이따금 소식을 전해주시오

그게 아니고

친구가 커피잔을 내려놓으면서
문학을 하지 않겠다고 선언했다
그걸 왜 나한테 말하냐고 물었더니
마땅히 말할 데가 없다고 했다
다른 친구는 문학만 하겠노라 말했다
그걸 왜 나한테 말하냐고 물었더니
웃으며 혼잣말이란다
두 친구의 행운을 빈다
아메리카노를 사들고 천변으로 나가
느린 물살에 번져가는 봄을 바라본다
이만하면 거리의 커피도 마실만 하다
이런 소식을 전할 데가 없다는 게 문제
내가 외로우신가?
그게 아니고

이 저녁의 본질은 뭐야?

자장면 먹습니다
집앞 골목 해물짬뽕집에서 배달시킨 저녁
탕수육 소짜도 따라왔고 그 뒤로
우수 뒷날의 저녁어둠이 좇아왔습니다
낮에는 함박눈 쏟아지면서
불암산 허공이 저물었더이다
블라디미르 일리치 울리야노프가 레닌의
본이름이라는 사실을 이제야 알았습니다
그런 게 뭐 중요하겠습니까
본질적으로 중요한 것은 본질뿐입니다
무슨 말이 그러냐구 물으시면
나도 말문이 막힙니다
단무지 없이 싱겁게 자장면을 먹다니!
별 뜻 없이 서운한 저녁입니다

°제목은 이승훈

나를 버리자

말이야 바른 말이지 칠십이
적은 연세는 아니지 않나
(그래도 인생은 칠십부터!
그리고 웃자)
날마다 원로연습을 해야겠다
첫째, 아가리를 닫을 것
둘째, 마음을 열 것
셋째, 그만 읽을 것
넷째, 생각하지 말 것
대신 맛있는 초콜릿을 먹으며
하늘을 들이마시며 손가락을 주무르자
이 저녁은 덧없게도 인간적이 된다
두드리면 통통 맑은 소리가 울리는
빈 인간이 되고 싶다
좋은 시 따위에는 빅엿을 날리고
내가 쓴 시도 갖다버리자
시보다 먼저 나를 버리자

측은한 것들

한 줄씩 건너뛰며 읽던 책갈피에서
걸어나와 누군가 그립고 싶을 때
이유 모르면서 울고 싶을 때
그런 날 있었으면 좋겠네
앞뒤가 맞지 않아 헷갈리는 소설처럼
혼자 중얼거리다 끝난 서정시 뒤끝처럼
(시는 모름지기 다 서정시겠지
실험시인 척 하는 측은한 서정시들)
별 볼 일 없이 그날그날 살아간다는 거
이건 큰 기적일세
나라에 돈이 없는 게 아니고 도둑이 많다는
대선후보의 핏대를 못 들은 척
딴청을 피우면서 (제대로 알아들어도
달라질 게 없는 조국을 살면서 말이다)
임제록을 읽는다 밑줄은 긋지 말자
소용없고 부질없는 살림살이시여
역사책에도 문학책에도 쓰여진 적 없는
측은한 것들만 온힘으로 사랑해보세

잠시만요
진심입니까?

오한기 봇에서 읽은 문장이

왜 나한테 와서 꼼지락거리느냐

잠시만 내 진심을 돌아보라는 뜻인가

나는 그런 걸 키운 적이 없다

온통 진심뿐인 사람

진심의 덩어리

당신의 진심은 싹 거짓말이라는 게

나의 결론이자 통설이다

나는 세상의 모든 결론을 혐오한다

이거 하나만은 진심이다

4호선 전철

시인 박세현 씨가 아직
살아있다는 풍문을 들었다
시집도 내고 산문집도 납품했다는
소식을 어디선가 듣게 되었다
1980년대에 등장한 시인이
지금은 2022년
아직도 시를 주무르고 있다?
수소문 끝에 약속을 잡고
불암산으로 가는 4호선 전철을 탔다
나도 좀 부지런히 살아야겠다

1953년생

어제는 폐허 영인본에서
김소월의 시를 찾다가 잠이 드는 꿈을 꾼다
개벽이나 장미촌이었을지도 모른다
그의 단편소설 함박눈도 다시 찾아봐야겠다
한용운은 장편소설 흑풍을 썼고
김수영은 단편 의용군을 썼다
미완이지만 그것은 그것대로 그것이다
나도 산문소설 『페루에 가실래요?』를 썼다
읽은 사람은 드물겠지만 그 산문에는
또는 그 소설에는 분열된 내가 등장해서
황당한 얘기를 아무렇게나 떠들어댄다
산문이기도 하다
산문으로 읽는 사람도 있고
소설로 읽는 사람도 있을 것이다
누가 잘 읽는 것일까?
모두 시에 대한 잡념으로 누빈 이야기다
반짝이지 못한 시의 빛이 반짝반짝
아침에는 삶은 달걀과 사과 반 쪽
힘껏 볶은 탄자니아에서는 참을 수 없는
폐허의 향이 올라온다
1953년생 남자에게도

봄이 오고 있다
어서 나가봐야겠다

선

선생님, 잘 계시지요?
여기도 비가 옵니다. 봄비네요.
이번에 나온 선생님 신작시집 사서 읽었어요.
저번 시집과 별로 다르지 않던데요. 그래도 나는 선생님 시가 좋아요. 제가 안 읽으면 누가 읽겠어요. 이런 말 하면 화내실라나요. 그런 걱정 때문에 더 읽게 되더라구요. 어쩌다 시 쓴다고 앉아보는데 잡념만 무럭무럭 올라오고 시 같은 건 되지 않더라구요. ㅎㅎ. 어제는 두 줄 썼는데 다시 읽어보니 진짜 시는 버리고 잡념만 건져놓은 것 같았어요. 선생님이라면 그게 시다. 이렇게 말씀하실 거지요. 아닌가?
모레쯤이면 기한오의 소설이 도착할 겁니다.
오시면 연락주세요. 선.

이런 것이 시

금몽암에 가서 하룻밤
잠을 청하면 어떨까?
엷은 꿈 꾸다가 마른 꿈은 탈탈 털어내고
이곳저곳 헐렁하게 걸어보자
아는 사람 없겠지만
모르는 사람도 없을 듯한 영월에서
어깨를 툭 치며 누가 아는 체 한다고
달라질 건 없을 것이다
터미널을 빠져나가는 시외버스에는
네 사람이 앉아 있다
기사까지 총 다섯 명
역부러 버스를 놓친 사람처럼 오래
떠나가는 버스의 뒤를 바라다본다
나는 왜 이런 시를 쓰고 있더냐
이런 것이 시라고 믿기도 하는 아침이다

믿을 사람

카프카는
낮에 직장에 다니고
밤에 글을 썼다
마흔에 죽었다

원고를 불태워 없애달라고 친구에게
부탁했다는데 친구가 책으로 출판하는 바람에
카프카의 유언은 이루어지지 못했다

(세상에)
믿을 사람 없다

이모티콘에 기대며

의미를 뭉개고 싶을 때면
남들처럼 이모티콘을 쓰기로 한다
대선 후보 저치 어떻게 생각하세요?
이렇게 직설로 묻는 사람은 없지만
가까운 예가 그렇다는 뜻
날씨에 따라 기분에 따라
내가 선택하는 대답은 두 가지
ㅎㅎ가 아니면 ㅋㅋ
해석은 내 몫이 아니다
내 뜻이 알맞게 오해되길 바라며
ㅋㅋ
마음 휑한 날은 ㅎㅎ
구겨진 마음 몰래 집어넣기도 한다
한번 더 ㅎㅎ

보급형 시인

더 나이 먹으면
편한 시를 쓰고 싶다
시를 쓴다는 생각 같은 건 접어버리고
셀카 찍듯이 덮어놓고 쓰는 거야
시인 폼 잡지 말고 문장에다 이것저것
온갖 잡동사니를 쓸어담아보는 거야
썼다 지웠다 그러지 말고 그냥 퍼담는 거다
그러면 낙서냐고 그럴 것이고
일기 쓰냐고 그럴 것이다
죄송하지만 죄송할 뿐이다
우리 동네 해물짬뽕 가격표도 쓰고
값을 올린 수유리우동 비빔국수도 쓰자
다소 위험하지만 내 문자 씹는 사람의
명단도 적는 것이 예의에 맞다고 생각한다
미리 인상 쓰지 마시라
바닥을 보여주는 거야
없는 바닥도 만들어가면서 말이지
나의 이런 생각은 그러나 생각이다
생각은 나의 영원한 환타지이거든
이런 식으로 환상을 건너가보는 거야
더 나이 먹으면이라고 첫줄에 썼는데

고쳐써야 될 것 같으다
지금껏 쓴 시보다 저렴하게 쓰고 싶다는
열망이 나보다 앞서 나갔을 뿐이다

시가 참 좋습디다

나름 생각하고
나름 말을 고르면서 쓴 시다
이 시 읽으면서 와 좋다
그러면서 한 이틀 정도 시가 만들어놓은
세계에 빠져 살아가는 사람 있을까?
그 정도는 되어야 시를 시라고
부를 수 있지 않겠는가
좋네요
그런 독후감을 얻어내려고 열심히
시를 작성하는 일에 대해 나는
입을 다물겠다
어제는 아무개 시인의 신작시집을 받고
인사 겸 소감을 전달했다
축. 시가 참 좋습디다

미역무침

우리는 아니 나는
투덜거리면서 사뭇 징징거리면서
시를 쓴다 그게 나의 시다 나의 서정시다
더러 읽어주시면 좋겠다 내일이면
흔적 없이 사라져버릴 궁한 사랑 같은
덧없는 나의 중얼거림 말이다
그건 시가 아니라고
시에 미달한다고 말해주신들 상관없다
미달한 만큼 더 살아야겠지
더 크게 징징거리면 전위가 될지도 모른다
전위여 모든 시대의 앞잡이여 작은 엿
갑자기 무역무침이 먹고 싶어진다
파도가 살아있는 푸른 빛
오늘은 여기까지만 쓰자

나는 아니다

내가 시 하는 걸 아는 사람은 알지만 그렇다고 내 시를 읽는 건 아니다 현실은 알고 싶지 않은 욕망에 의해 지켜진다는 라캉 선생의 말은 우정에도 적용된다 친구들이 내 시를 찾아 읽는다고 생각하면 일은 복잡하다 툭하면 시에다 친구가 없다고 썼는데 친구들이 읽으면 무어라고 생각하겠는가 진정한 나의 친구는 내 시 같은 건 읽지 않는다 그런 이치로는 집사람도 고맙다 적어도 내 시를 읽지 않기에 가정은 온전하게 유지된다 나라도 다르지 않다 사람들이 그럴 듯한 시는 읽지 않고 해열제 같은 시만 사서 읽으니까 나라의 평온은 지켜진다 진짜 중요한 건 쓰지 않으려는 욕망에 의해 시인의 영업은 지속된다 드물지만 예외는 있다 그들은 감히 쓰고 싶은 욕망에 복무하는 시를 쓰고 자기도 모르는 사이에 문학사에 남는다 나는 아니다

오감도 이후

오감도 속으로 사라진 아해들은
이 늦은 시간 어디를 달리고 있을 거나
불광역에서 전화하는 나이 든 아주머니의 말이 지하통로를 길게 울린다 이러지 마세요 나도 옛날 같지 않아요 구파발행 전철 들어오는 걸음에 섞여서 잔상으로만 남아도는 여인의 말은 하루의 뒤끝에 매달린 외마디 댓글 같다 불광역 근처를 감추려는 봄저녁의 수신호 같을 거나
충무로에서 4호선을 버리고 3호선을 갈아타고
무악재를 지나 여기까지 와서 나는
나를 내려놓는다 내려놓는다는 생각 없이
가볍군 하여튼지 가벼워
든 게 없으니 무거울 리가 없다
아직은 더 달려야 할거나
그런대로 저 어두운 골목길을 내달리면서
그러다가? 행방불명되어야겠지

°오랜만에 이상의 오감도를 읽으며

읽고 싶은 시

세상에 읽고 싶은 시는 많다
전철에서 책 읽는 여자
그 옆에서 졸고 있는 노인
상행위를 하다 쫓겨나는 상인
통로에서 껴안고 있는 젊은 한 쌍
다 읽고 싶은 시다
웃고 싶은 시
울고 싶은 시
춤추고 싶은 시
상스럽고 싶은 시
성스럽고 싶은 시
은퇴한 내 친구의 시도 있다
읽어보지 않아도 좋은 시라고 안다
왜냐하면 내 친구는 워낙 좋은 인간이다
좋은 사람이 쓴 시가 나쁠 이유가 없다
읽지 않고도 읽은 것 같은 이 느낌은
말로 차마 다 못하겠다
시를 읽을 엄두를 내지 못하는
나의 이유이기도 하다
읽어도 좋고 안 읽어도 좋은 시가
사실은 좋은 시라는 생각

미처 하지 못한 말

미처 하지 못한 말이 내가 하고 싶은 말이다
나도 미처 생각하지 못한 그 말을
머릿속으로 굴리며 유적지 같은 경포호수를 걷는다
수선화는 없고 시를 새긴 비석들만 즐비하다
시들의 공동묘진가? 시는 읽지 않고 대신
물오리를 읽으며 지나간다 저 시들은 아쉽게도
이 순간의 나를 대변하지 못한다
나는 걸어가며 시를 쓴다
일생을 쉼 없이 일렁이는 호수와
호수 너머의 파도와
파도 너머의 푸른 손짓을 받아쓴다
그렇게 나를 대변해보는 거야
미처 내 속을 빠져나가지 못한 그 말이 뭔지
나도 모르지 모를 뿐이지

추상적인 사람

내 안의 어딘가가 무너지는 소리
와장창
자정 가까운 시간에 홀로 듣고 있음
먼 데서 실시간으로 그대도 듣고 있을 것임
오늘 오후
바다에서 가지고 온 잔파도를 꺼내놓고
다시듣기를 한다
나는 알 것이다
그가 왜 문자 없는 책을 읽고
소리 없는 파도를 보고 있는가를 알 것 같음
행복이나 슬픔 같은 것이 한낱 껍데기라는
작은 결론을 맺으면서 그 사람은
생각도 버리고 무의식도
검은 비닐봉지에 담아 집앞에 내어놓고
무정부주의자처럼 웃었다
그는 그는 그는 미련 없이 300번
시내버스를 타고 서부시장으로 갔을 것임
아주 추상적인 표정으로
아주 비논리적인 걸음걸이로

이루어질 수 없는 사랑

제발 우리는 이루어지지 말자
기도하고 기도하면서
손잡고 멀리 끝까지 가자
어떻게 이루어질 수 있담
꿈도 사랑도 연민도 분노도
이루어지지 못하리
파도가 오면 다음 파도가
온다 파도 위에 또 파도다
파도 파도 파도 아닌 것이 없다
우리 기필코
이루어지지 말자
이렇게 파도치면서 살자

°제목은 내가 스무 살 무렵에 부르며 내용 없이 까닭 없이 막막해졌던 양희은의 노래. 당시 여대생이었던 김정선이 친구를 위로하기 위해 작사, 작곡했다고 알려졌다. 훗날의 일이다. 나는 그 훗날에다 이런 시 주석을 달아보았다.

이 나라는 망했다

이 나라는 망했다
그렇게 말하는 친구가 있다
민주주의가 영 불편한 친구다
그는 민주주의 발상 자체를 혐오한다
지저분하고 냄새난다는 것이 그의 지론이다
이런 나라에서 대통령을 해먹겠다는 욕심처럼
사적인 기획은 없다는 것 그것이
친구의 변함없는 정치관이다
나는 맞장구치지 않는다 살아봐서 아는데
맞장구는 표독스러운 자기 배신으로 돌아온다
거리에서 목터져라 떠들어대는
아무말 대잔치는 민주주의의 공해라며
이런 거 우습게 보는 훈련이 민주주의란다
내 말은 아니다
역시 그런가?
그러나 그런데 나는 친구가 없다

저 바람 속으로 망명하는 중

말없이 아니
아무도 모르게
이것도 아니군 뭔가 아니야
더 그럴 듯한 말은 없을까
쥐도 새도 모르게?
급한 대로 우선 남몰래
정말 나도 모르게
조용히 마을 뒷길을 걸어서
과묵한 여자가 지키는 단골마트를 지나
저녁 대용으로 사먹던 만두가게를 지나
그집은 둘째 넷째 일요일은 휴일이다
오늘은 둘째 주말
문닫은 가게를 지나가면서
나는 또 어제처럼 망명 중이라네
내가 지금 어디 있는지 모르신다면
모르는 그곳이 나의 하루치 망명지라네
바람 불다 저문 들녘
갈매기 날아간 뒤끝
날 부르는 목소리 잦아든 어디쯤
그 어디쯤

영혼 없는 말

경호원도 없이
무릎 나온 바지 입고 천변을 걸어서
어디론가 간다 간다 간다
때는 봄날 춘삼월이고
사람들은 살아서 천국을 설계한다
영혼 없는 말이 좋다
이런 생각 사이로 내륙 깊숙이 날아왔다가
돌아가지 못하고 물류창고 주변에서
활강연습을 하고 있는 꽤 나이 든 갈매기는
어제도 본 그 갈매기가 아니겠는가
별수 있겠는가 나처럼
녀석이 머리 위를 스쳐간다
너처럼 길을 잃고 자유하고 싶구나
이 말은 내가 늘상 해대는 참으로
영혼이 집나간 말이다
그래도 나는 이 말밖에 기댈 곳이 없으니

성불하세요

새벽 한 시
잠을 기다리고 있는 중
당신은 나를 모르고
나는 당신을 이해하지 못하기에
각자의 문밖에 서서 망설이고 있다
이것을 사랑이라 부르자
서로의 문을 열지 못해
다시 없을 줄 알면서도
아쉽게 돌아서는 마음을
사랑이라 부르자
잠시 후면 두 시의 새벽
왔던 길로 되돌아가면서
길을 잃어버리는 당신의 등을 보면서

그렇게 말해야겠다

시 써달라는 청탁이 뚝 끊어졌다
정리해고를 당한 건가?
말이 되는 소린가
편집자에게 물어볼까
당신 시대는 영업 끝났다고 하려나
몇 편만 발표하자고 사정해봐?
꼭 이렇게 해야 할까?
그렇게 하지 않을 이유는 뭐야
편집자에게 전화 걸려는 결심으로
시간을 보니 자정이 넘었다
내일이면 변심하겠지
어제는 쓸데없는 생각을 했지만
그 미련
싹 지웠다고 누군가에 알려는 줘야겠지
한국문학에 대한 나의 애정은
이런 식으로 흘러간다

경로우대연합 사무실 개소식 축사

춘분

강릉의 아침 기온은 0도
낮에는 10도까지 인상된다고 한다
김춘수는 김소월의 시
엄마야 누나야의 마지막 줄은
떼어내도 된다고 했다
떼고 읽어보니 2% 뭔가 아련하다
있던 건 있는 게 좋겠다
사랑이 그렇고 미움도 그렇다
모두 제자리에 있거라
춘분 기념으로
베트남 커피를 마심

정다운 가곡

정다운 가곡을 듣는 밤
제목은 사랑이다
노래가 몸으로 들어왔다가
잘못 들어왔다는 듯 조용히 나간다
나 역시 덤덤하게 앉아서
노래의 마지막 소절을 떠나보낸다
라디오 옆에서 침묵 한순간
아무도 듣지 못하는 이 긴 잠깐의 침묵
봄밤은 그런 형식으로 지나갔다
늦게 잠들었다는 사실만 놓아버린다면
그밤은 여전히 정다웠다

우크라이나

자고 일어났더니 비왔네
며칠 지각한 봄비
다 잊고 싶은 날이네
몸도 젖었다
커피를 마시고 소설을 읽어야겠다
아직 쓰여지지 않은 누군가의 픽션
태어나지 않은 소설가의 것이면 좋겠지
토성에 사는 소설가의 상상력도 환영한다
인터넷에서 읽은 뉴스는 어제까지의 일
이제 보니 다 가짜뉴스였어
커피물을 끓이면서 생각한다
전쟁 중인 우크라이나는 어디지?
오늘따라 커피물이 더디게 끓지만
철학자인 척 하며 봄비 오는 소리 듣겠다

이렇게 될 줄이야

깃발은 높이 쳐들리고
철학자는 유튜버가 되고
대통령은 손수 사저를 짓고
시인은 페이스북에 시를 올리고
범인은 잠수 타고 좌파는 보수가 되고
우파는 진보가 되어 어깨동무를 하고
광화문을 행진하고
여자는 자신과 결혼하고
남아도는 남자는 용병으로 떠나고
죄인들은 사면되고
하늘은 여전히 푸르고
노숙인은 상록수를 트롯으로 편곡하고
융자금을 갚지 못한 전직 대통령은
은행 창구에서 상담 중이고
죽은 시인이 합정동에서 시를 낭독하고
다큐감독은 소한민국을 찍고
빅데이터는 남조선의 분노를 분석하고
저 깃발을 가져다 불쏘시개를 할 날이
이렇게 민망스럽게 올 줄이야

시 없이 사는 힘

시 한 줄 쓰지 않는 그대가 부럽네
쓰지도 않으니 더 그러하네
시 근처에는 얼씬거리지 마시게
자학이냐고?
나야 이게 운명인가 여기지
(그리스비극처럼
빈정거리는 코러스가 행간에서
새어나오는군)
운명 알지? 그 말의 기만성을!
자신을 속이는 재미로 시를 쓰는
등신도 있다고 들었다네
놀라지 마시게 진심을 다해
그대가 부럽다네

개인적으로

오늘도 거리에 나간다
이곳저곳
일없이 나서본다
나가다가 돌아와서
괜히 라디오 듣고
휴대폰 전원도 죽이고
큰숨 서너 번 쉬고
양치를 하고
아침에 했지만 또 하면서
어떤 시를 읽을까 생각
생각으로 그치지만
개인적으로 한국시 그저 그렇다
그래 너무 그렇다
안 써도 되는 말 열심히들 쓴다
시는 복붙하면 된다
내가 그렇다
내가 그러니 남도 그런가 한다
그 생각 바꿔야지 하면서
고쳐지지 않는다
죽으면 고쳐질 테니
미리 걱정 말자

떼창금지

개인적으로 한국시 정말 그렇다

개인적으로

개인적으로

한번 더

순전히 개인적으로

하나마나한 말

누가
그대의 시는 인문학적인 시 같다는
촌평을 했다
촌티가 나는 비평이지만
말 뒤끝을 물고 하하하
크게 웃었다
내 속에 들어앉았던 멍청한
질그릇이 알뜰히 깨어지는 소리
바로 그것이렷다
웃고 났더니 햇빛 쨍쨍한 날
우산 들고 가던 생각난다
나는 왜 하나마나한 말을
이렇게 정색하고 하는 건지 모르겠다

남은 생

남의 시를 안 읽은 지 꽤 되었는데
아무렇지 않다는 그 사실에
새삼스럽게 깜짝 놀라고 있다
서글픈 일이 이것만은 아니겠지만
남은 생
이 도도한 서글픔을
달래며 살기로 하자

비오는 아침

아무것도 생각하지 않고 산 하루
좋은 일도 나쁜 일도 없어서
가는 빗소리에 귀를 내어주었다
아직도 본인은 세상에 없는 것들을
좋아한다 그렇다 대책 없이 사랑한다
시집 한 권 없이 사라진 시인이 그렇고
돌아가신 아버지가 그렇고
줄거리를 까먹은 장편소설이 그렇다
있다가 없는 것보다 사실은
본래 있어본 적이 없는 것들이
왜 나를 더 못 견디게 하는지
미친 척 하고
누구에게 물어볼지도 모른다
아침 라디오에서 여자 아나운서가
마지막 곡을 소개하고 사라진다
방금 자취를 감춘 아나운서에게
어리버리한 말투로 물어보면 어떨까
아직 덜 살아봐서요
그딴 거 모르거든요
이런 화끈한 대답을 기다리는
비오는 아침

심심한 결심

중년가수 배호의
돌아가는 삼각지를 들으면
가슴이 먹먹해온다 그리고
막막한 지평에 혼자 내버려진다
김소월 이후 아무도 닿아보지 못한
외진 구석을 돌아나오는 목소리다
그가 이 노래를 녹음한 해는 1967년
1942년생이니 25세의 일이다
이승훈 이건청 박의상과 같은
1960년대 현대시 동인들 또래다
중년가수라 쓴 첫줄의 오해를 수정하며
서정시는 더 읽지 않겠다고
내게 손가락 걸던 오래 전의
심심한 결심

어쩌다 카페에서

내 본래 그런 사람은 아닌데
어쩌다 카페에서 혼자
좀 늦게까지 앉아 있었는데
딴에는 작품을 구상 중인 작가의 포즈를
나도 모르게 취하고 있었을 것인데
남들도 그리 여기는 줄 알았는데
그것은 나만 늘 혼자의 오판이었다
문닫을 시간이라는 주인의 통보를 듣고서야
제정신이 돌아왔다
그 순간 알았다고 했는지
죄송하다고 말했는지 기억은 없고
문 닫히는 소리 거칠었던 건 또렷하다
유통기한이 지난 뜨거운 탄자니아 커피로
마음을 지져야겠다

시가 안 되는 날

잠시 피어나고
잠시 아름답고
잠시 열렬하다
꽃이 그렇고 새소리가 그렇고
뭉게구름이 그렇다
세상에 그렇지 않은 게 없다
새 코트와 새 책과 새 애인과
모든 계획과 내일 아침도
잠시 열렬하고 잠시 아름답다
세상에 이러하지 않은 것이 없다니!
집나간 고양이와 초보 사기꾼과
거짓말을 못해 차마 진심만 연설하는
정치 초년생은 치열하고 열렬하고 졸렬하다
이제 글렌 굴드의 연주를 듣는 자세로
이 문장은 톤이 안 맞군 다시!
일거리가 없어 택시운전을 하는 피아니스트
뉴욕의 듀크 조단처럼
이것도 어색하긴 마찬가지군?
처음부터 다시 쓰자
오늘은 시가 안 되는 날이야

건필

K시인 시집 좋더군요
시집 보셨군요
읽지는 않았습니다
그러면서 좋다니요
표지 색상이 좋더군요
제가 고른 겁니다
푸른 색감에 뭔가 묻어나더군요
어떤 거요?
그런 거는 말로 할 수 없지요
시를 읽어주세요
어떻게 그런 말을 나에게 하시나 시를 읽어 달라니요 쓰셨으면 그걸로 된 거지요 안 그렇나요 자기 시의 독자를 상정하고 쓰는 건 값싼 교만이지요 쓰면서 몇 번 읽어 김 다 샌 시를 남들에게 읽으라는 건 나로선 납득하지 않을 일입니다 쓰지 않은 시를 보여주시고 부디 자존심을 지키세요
성생님의 심심한 뜻을 몰랐군요
시집 표지 색은 정말이지 잘 골랐더군요
나도 그런 색을 써보고 싶어요
건필하세요

계속

계속 쓰기는 대니 샤피로의 책
읽어보기 직전에 잠깐
계속 쓴다는 것
새롭지 않으면서 그게 그거 같은 시를
지치지 않고 계속 쓴다는 거
이거 놀라운 일 아닌가
놀랍도록 이상하고 멍청한 짓 아닌가
계속 읽고 계속 쓰고 계속 사는 일은
같은 줄기 같은 뿌리 같은 잎
모두 죽음충동의 이음동의어다
봄비와 밤비가 뒤섞이던 출렁거림은
멈추지 못하는 밤바다의 구시렁거림
이를테면 그것은 바다의 글쓰기일 것
계속 쓴다는 것
어제 아니 십년 전의 생각과 별다름 없는 시를
새롭다는 듯이 쓰고 있는 나의 동작을
달리 무엇이라 불러야 하나
굳건하자

커피 이름은 모르는 채로

오늘도 나에게 전화 한 통
문자 한 줄 보내지 않은 분들
고맙습니다
봄이 왔고 이웃집 허물어진 담장 옆에는
불시착한 수선화 두어 송이
잊었던 소식 같아서 또 감사합니다
어제는 연태고량주를 마시고
집으로 돌아와 말없는 나를 먼저 재우고
다른 나는 늦게까지 책을 읽었습니다
무슨 책인지
무슨 내용인지
생각나지 않는데 아무렇지 않습니다
기억하지 말자
판단하지 말자
섭섭하지 말자
그런 철학으로 커피잔을 들고 있습니다
커피 이름은 모르는 채로요

초당순두부

초라해보일 때
내가 밑도 끝도 없이 초라해보일 때
국어사전에도 없는 이런 느낌이라니
나뭇잎 바스락거림에도 못 미치고
작은 빗방울에도 스미지 못하고 겉돌다
자기 몸통 속으로 흘러내리는 사람
흔들어 깨울 때마다 초라해지는
나를 만난다
함께 가야 할 사람
그를 붙잡고 엉엉 다른 리듬으로
울고 싶은 건 아니다
살짝 매콤하고 다정한
초당순두부를 먹으러 가야겠다

전화

시인이 할 말을 잃어버릴 때
그거 진짜 시의 순간이다
그런 순간을 아껴야 한다
예를 들 것까지는 없지만
갔던 길 다시 가듯이
놓친 기억 한번 더 놓치듯이
그런 순간의 황홀을 살아간다
부지런히 시 쓰는 시인들을 보면서
더 게으르자고 다짐하는 건
내가 쓸 시마저 다 써주길 바라기 때문
진심이다
할 말이 없으면서 걸려던 전화를
조용히 내려놓는다 큰 결심이다

봄날 강릉

시에 몸 판 여자는 천하지 않다
사지를 우그려뜨려 껴안고 싶다°

할 말이 없다

°김영태

나는 망했어

나는 망했다네
망할 건덕지가 없었으니
망하고 자시고 없이 더 아주
어마어마하고 위대하게
사뭇 찬란하게 충분히 망했다네

내 시는 팔리지 않고
익명의 동네시인이 되어
문학사의 공란이 되었다는 거지
근근이 시를 쓰고 있어도 그건 하나의 몸짓
그림자의 위선이야

사진 뒤로 사라진 사진가처럼
나는 저 깊고 서늘한 시의 행간 속으로
말마다 뛰어내리고 있다네
아무도 모르는 투신 장면
나만 알고 있다는 거지
괜찮다 괜찮다 괜찮다°

오늘은 청명
청명을 지우는 봄밤

단맛 쓴맛 다 본 사람 같은 표정을 짓고 싶은데
왜 쓴맛만 나를 싸고 움직이는지
통 모르겠단 말이야 이게 정답일까?
어제 통화하면서 나와 고민이 다른 시인에게
혼잣말로 중얼거렸던 대사
지나갔지만 그 말 철회한다네
완결된 시는 쓰지 않겠노라
그랬던 말을 하루 지나 수치스럽게 생각한다

나는 이런 식으로 망했다네
이거 무슨 뜻이냐고 물으면서
내 문장 자기 이론으로 해석하려는
평론가는 믿지 말 것

망하는 길에서 길친구 만나거든
뜻 없이 손 흔들어주기
그대도 헛사느라 수고했구려
헛, 헛, 헛

°천상병

달이 지는 밤

책상에 앉아 이것저것
떠오르는 대로 반성하고 후회한다
그건 나의 취미지만
하나의 사업이기도 하다
꼭 그래야만 하는 건 아니지만
지나다 잠깐 들렀어, 하는 표정으로
지나간 일들 지나간 인연들이 돌아와
나에게 안부를 물을 때마다
나는 길을 잃고 막연해진다
왜 그랬을까?
너그럽게 이해하고 용납해주세요
절절한 나머지 어떤 날은
반성하지 않아도 될 것까지
반성하고 나서 이사 나간 집처럼
텅빈 마음 들여다볼 때도 있다
그런 맘 휴지에 싸서 버리고 돌아서면
내 몸에도 달이 지고 있다

부족한 꿈

긴 말 하지 않아도 나 같은 시인은
뭔가 알 수 없는 꿈이 부족한 부족이다
시 쓰는 기술을 새로 배우려고
주민센터 시쓰기 강좌에 등록하러 간다
강사는 방금 목성에서 온 외계인
젊다 미등단이다 키도 크다
그의 매력은 알 수 없는 말만 한다는 것
은유나 상징 이딴 거 말고
가슴에 딱딱 닿는 뻔한 거 말고
읽어도 읽어도 읽은 느낌 없는 시를 쓰려는
내 평생의 부족한 꿈을 만나러
수줍은 개나리 덜 핀 길을 지나
시쓰는 강좌에 간다
수강료 없음

그러게

중계동 한살림 앞을 지나가는 길
초등학교 4학년쯤 됐을라나
그 아래위라도 상관은 없겠으나
전화하면서 여자아이가 하던 말
그러게
그 말 귓구멍에 박혀서 나가지 않는다

몸에 들어와 한살림 차린 그 말 때문에
나는 나이를 잊으시고 체온을 잴 수 없는
몸살 속으로 들어가 자가격리를 한다
내가 제자리에 쓰지 못했던 말을
쌓아놓으면 불암산 높이는 되고도
남을 거라는 생각이 곁다리로 밀려왔다

그러면서 시인인 척
둘러대면서 살았다니 끔찍(하지만
이 말을 너무 세게 해석하지는 말자)
나만 그런가?
그러게

혼자 있는 중

다들 어디 나가고
혼자 집에 남겨져서 책장을 넘긴다
무슨 책이냐고 물어볼 사람 없을 것이니
아무렇게나 적어두자
사실과 같지 않아도 양해를 바란다
마르셀 프루스트의 소설
페르난두 페소아의 시집
이런 책을 읽을 때는 충분히 지나갔다
혼잣말이지만
시를 두드리고 있을 때는 아니다
드립커피 말고 머신커피도 말고
삼박자 커피를 휘저으면서
사철가를 듣는다면
리듬이 좀 맞으려나

이러고 산다

경호원도 없이 강릉 사저에서
바람소리 들으며 산다

아침이면 커피
오후에도 커피
과테말라 쿠바 이디오피아 베트남
먼 나라의 꿈을 마신다

다시 읽을 일 없을 책이랑
다시 들을 일 없는 음악이랑
구름이랑 파도랑
그런 것들

커피 없이는 하루도 못 살 것 같다
(주변의 웃음소리)
그렇다고 말도 못 하니

이렇다는 말이지

황덕호의 재즈수첩을 듣겠다고
기다린다 토요일과 일요일 자정의 FM
일요일과 월요일이 정확하다

그 시간에 그걸 누가 듣겠는가
듣는 사람 있다
나처럼 약간 철 못 들고 겉멋 든 축들이
들을 거라 짐작한다 그분들한테는 죄송하다

요즘은 방송 첫머리를 듣다가
잠든 날이 많다 일주일 기다려서
오프닝 시그널만 듣고 잠들다니
깨어보니 재즈는 지나가고 그 자리에
다른 음악이 흥건하다

이 순간을 기다렸다는 듯이
마치
얼른 낯선 음악에 젖어드는
무섭고 서글픈 적응력이라니

내가 놓친 것

쓸 만큼 썼다
아직 못 쓴 시 몇 편
그게 어떤 시인지 몰라
문학에서 연장근무 중인 나를
아무렇게나 이해하셔도 무방
그건 내 문제가 아니다
소 닭 보듯 내 시를 개관하는 일도
그리 서운한 노릇이 아니다
내게 밀려왔던 구름과 안개와
철학과 역사와 몇 편의 비바람
그런 분별이 통째 거품으로 일렁거린다
겨우 하루 영업 끝내고 문을 닫는
호프집 주인의 뒷모습에는
놓친 것이 어려 있지만 그도
그게 무엇인지 알지는 못한다

벚꽃 그늘

몸안에 돌던 게 있다
느린 박자 슬픈 리듬으로
안드로메다를 왕복하는 시간의 속도가 있다
오늘 이 꽃들 다 어디서 왔는가
물어보면서 벚꽃 그늘에 앉아
세월의 립싱크를 하고 있는 여자들
제발 행복하시라
꽃 피어 있는 동안만이라도
꿈 깨지 마시라
집에 가도 할 일 없는
노인남자의 부탁이다

벚꽃 그늘

오십대 여자 두 명
벚나무의 꽃을 바라보며
까르르 웃는다 잘못 들었다
오십에는 와르르 웃는가 어쨌든
나중에 젊잖게 수정하기로 하자
벚꽃은 활짝 구어체로 피어났고
이승의 시간도 흥건하게 피어났다
그녀들은 꽃을 개관하기 좋은
그만큼의 거리에 접이식 의자를 놓고
김밥과 오렌지와 생수 같은 것들
간밤의 통통한 불면 한 접시도
소품처럼 늘어놓고
그녀들이 주고받는 담소는
정치 경제 사회 등등이 아니고
철학 역사 문학 같은 루머도 아니고
벚나무의 나이와 꽃잎의 색과 크기 같은 것
지나가다 멈춘 바람결에 대해서도 소통하며
깔깔깔 호호호 하하하 그녀들은
날이 저물도록
벚꽃이 다 질 때까지
다음 해 벚꽃이 다시 필 때까지

하루치의 일평생을 그렇게 앉아
감춰둔 서로의 웃음을 꺼내주면서
벚꽃 그늘을 살고 있었다 이것은
시도 아니고 수필도 아니다
장담하지만 만들어낸 이야기는 더 아니다

아는 분은 다 알겠지만

상계역 커피집 벚나무가 연설하듯이
미리 꽃을 피워놓고 호객하는 밤
벚나무 아래서 전화를 걸까 말까
맑은 소주를 마실까
아무나 붙잡고 좀 그리워하면 어떨까
커피 마시고 달아난 잠을 찾아나섰다가
낯선 여자 손을 잡고 돌아온다는 상상
대선에 몇 번 찍었냐고 대놓고 물으면
친구는 대답할까 내 초등학교 동창생
아는 분은 다 알겠지만
이런 시급한 절정이 눈앞에 있기에
세상없는 시라도 읽을 겨를이 없다
봄밤은 통촉하옵소서

작위에 밑줄

누가 저 사람이 대통령이 될 줄
알았겠어
귀신인들 알았겠는가
대통령 해먹겠다고 나섰다가
제 실력으로 나가떨어진 사람도 있잖어
글쎄 말이야
사람일은 모른다
눈 꾹 감고 모른다는 말에 밑줄 긋자
삶은 꼭 무언가를 숨겨 놓더라
간사스럽기도 하지
아름다움 뒤에 더 아름다운 거
추악 뒤에 진짜 추악함을 감추고 있지
치사스럽게 말이야
삶이 저렇듯 꿈도 작위적이어야 해
그럴 때마다 보이는 게 있거든

내 시집을 구매하신 분에게 커피타임을
제공할 수도 있다
커피값은 더치페이

김종삼 후유증

시를 끄적거린다는 사실이
그것이 어떤 목적에도 어울리지 않음을
늦었지만 조용히 절감하고 있다
무슨 계시가 아니다
하루를 소등하고 누웠을 때
꺼지지 못하고 여전히 켜져 있는 나를
느끼면서 그 순간 가혹한 시를 만난다
시를 쓰고 어쩌고 하는 노동은
어두운 골목 끝에서 울고 있는 아이를 데리고
집으로 돌아오는 일이다
네 이름이 뭐니? 집은 어디니?
부모님은?
묻고 달래도 말이 없는 아이에게
맑은 생수 한 컵을 건네는 밤

첫줄 없는 시

제목 없는 시를 생각함
제목을 붙여야 하나
공활한 여백으로 남겨두면 안 되나
1막 없이 2막부터 시작하는 연극처럼
첫줄 없는 시를 쓰고 싶다

첫줄이 없으니 다음 줄이 없고
다음 줄은 없는 첫줄을 기다리며
한세월

더 늦기 전에

이 나이가 되니
움켜쥐는 아귀힘이 사라지나 보다
내 탓은 아니니다
이것저것이 다 그러하다
시도 그 중 하나
그러지 않으리라 생각했는데
변심하는 애인처럼
문학도 예외에 끼어들지 못한다
등단 시집 문학상이 한순간에 그렇다
솔직하게는 심심해졌다는 말
그 중에 제일은 시인이라는 명사
덧말은 쓰지 않겠다
시 관련 행위가 다 무효가 된다
열망 새벽 초고 방황 질투 독서 아름다움
참으로 많은 등등의 뜨거움 모두
내 나이 칠십
빗소리나 듣자
보헤미안에 가서 커피를 마시자
내년엔 아프리카 신춘문예에 투고하자
그리고 더 늦기 전에
기절초풍할 문학을 창설하자

본래무일물

논리도 없다 연민도 없다
박수조차 없다
한물가는 데는 리유가 없다
한때 날리던 사람이 기자회견도 없이
한물 간 채로 뒷걸음으로 사라진다
방금 신간을 출판한 당신은
바빠서 미처 물이 덜 간 철학자

배경음악 없이 흔한 북토크도 없이
당신의 종이책을 읽는다
고시원에서 하룻밤 선잠을 자고
철학관 뒤편으로 사라진 당신을 검색한다
노원롯데백화점 주차장 입구
연중무휴 독립적으로 서 있는 벚나무가
올해의 꽃을 서둘러 지우고 있다

휴일의 시

독자를 구하지 못하고
내가 쓴 시 내가 읽고 있다
우적우적 쩝쩝
본래는 이 맛이 아니었는데
짜거나 싱거워졌다
상한 맛도 있다
그저 그런 시
이 맛이 아니야
저 맛도 아니야

나한테 그렇게 말하지 마요

잘 모르시겠지만
나는 시 쓰는 인간이오
내게 너무 담대한 것을 원하시는군요
그건 무망하고 촌스러운 희망입니다
시쓰기는 소망 없는 나의 영업일 뿐이지요
오늘도 망하고 내일도 망할 겁니다
망하는 거야말로 내 직업의 본능이거든요
시를 쓰지만 거기에 나는 없소이다
내가 시를 쓴다지만 시가 나를
타이핑한다는 게 더 윤리적일 거외다
이런 나한테 그렇게 말하지 마요
내 시에 실체적 진실 따위는 없고
구름 잡는 뻭사리만 시끄럽겠지만
구름 한 점 없는 마음을 꿈꾸지요
그게 내 시요
시적 진실? 글쎄올시다
그런 건 내 영업지침에 설정된 적이 없으니
죄송하겠지요

웃음소리

깊어가는 봄날
어디선가 들려오는 웃음소리
누구지?
온몸을 돌아나오는 웃음을 마중하면
보이지 않던 먼 곳이 새로 보인다
목련 표정같이 한껏 웃어준
누군가의 웃음소리
간밤의 꿈자리를 슥슥 지워내고
브라질 커피를 마시자

가벼운 서사시

나는
서울에 살다가 강원도에 살다가
어느 날은 대한민국에 살기도 한다
모르는 사람은 모르겠지만
내가 이 사실을 강조하려는 건 아니다
내가 살아보지 못한 동네가 날 부를 때
군산이나 땅끝마을 같은 데
경주나 울진 같은 데
마음만이지만 나는 가방을 싸들고
집을 나선다 열차를 타겠지 어디선가 내리고
낯선 거리를 걸어가겠지
기왕이면 범위를 넓힐 걸 그랬다
어차피 마음뿐이라면 이 땅을 떠나보자
덴마크나 노르웨이에 가서 쳇 베이커를 듣자
들려오는 대로 들으면 될 것이다
리스본도 가보자
근데 왜 리스본에 자꾸 꽂히는지 모르것다
나는 모르지만 리스본은 알 것이다
리스본 뒷골목에서 길을 놓치고 싶은 게지
헤매다가 길을 찾으면 못 본 체
다시 길을 잃어버리고 싶은 게지

꿈같은 거 구겨버리고
캔맥주나 손에 들면 엉성한 꿈은 지나가겠다
교토와 내몽고도 빼놓지 말자
뭐 어려운 게 있겠니
그런데 말이지 내몽고 이런 데도 시인이
있을까 궁금하네 내 생각엔 없을 것
초원 위에 서면 시인이라는 말
쪽스럽지 않겠나 시인은 돌아서면
엉덩이가 부딪치는 이런 속좁은 동네에서나
먹히는 거지

봄날의 수종사

수종사에 가야지
그럼 가봐야지
거기 가본 지 오래됐다
왜 이렇게 된지는 알 수 없다
알 수 없게 된 일이 수종사만은 아니겠지
사우나 갔다가 내부수리 중이어서
맥없이 허탕치고 내친 김에
노원롯데백화점까지 친히 걸어가시었다
바람결에 휘날리는 벚꽃을 몸으로 받으며
하루를 산다 봄날의 뒷모습이 공연스레
찡하다 어떻게 설명할까
어디서 걸음을 돌려야 할지 애매해서
계속 걸어가시는 중이다
그러는 동안 나는 아직 봄날이다

미래사 뒷간에서 만난 봄빛

이틀째 비가 내린 강릉에서
앓은 전신우울증을 겪으며 왔다리갔다리
방안을 산책하는 중
문학과지성사판 r시리즈 시집 나는 너다를
뽑아든다 속표지에 휘갈겨 쓴 글씨의 선이
지금보다는 나름 살아있군

통영 미래사 뒷간에서 만난 봄빛
삶이 쿡쿡 쑤셔온다
모든 순간이 불멸이다
2015년 2월 7일

방안산책을 멈추고 창밖의
잔여 빗방울을 내다본다
시집을 도로 꽂아놓으려니
시집 있던 자리가 금세 뭉개졌다
할 수 없이 이론서 옆 아무 데나 꽂으면서
묵은 시집을 괜히 건드렸음을 후회한다
이런 마음 참 낯설군

모닝커피

모닝커피 같은 시가 있다면
마음 깨워주는 그런 시라면
그대에게 읽어주고 나는
멀리서 들려오는 아침 새소리를 듣겠소
빼먹지 않고 제시간에 찾아오는 아침
잊을 건 깨끗이 잊고 내일이면
다른 잊을거리를 맞이하는 연습
능청스런 마음 체조를 하겠소
나는 이러고 살아갑니다 그러하니
대통령 지망생 같은 정치적 개소리는
입에 담지 않을 것이오
다들 제멋대로 사시기요

북강릉

장날 야양 전통시장 골목을 이리저리
인파가 하조대 파도처럼 밀려든다 좋다
풍성하게 북적이는 골목이 막 두근거린다
밀폐된 나도 열린다
좁은 난전을 떠밀려가면서 사각거리는
옷깃만의 인연
골목 끝집에서 순대국 먹는다
주인 여자의 야양 말씨
야양 표정 야양 근심 야양 웃음
잔돈 거슬러주는 삼팔이북의 손놀림
어디서 오셨어요 물어준다
펴양서 왔시오 웃지 않고 대답한다
돌아가서 뒷날에 웃기로 한다
드르륵 원초적 소리가 나는 문을 열고
난전으로 나오니 이거야 원
내가 온 줄 알고 눈이 내린다 펄펄
이렇게 하루는 북쪽 시장 골목을 사는구나
돌아올 때는 다른 사람처럼
눈 없는 북강릉으로 나왔다

잠꼬대

폰에 앱도 깔 줄 모르면서
시를 쓰네
우크라이나 시민들 시위하는 이유도 모르면서
나는 시를 쓰는구나
외계인도 만나보지 못하고서
사랑도 성공만 하면서
세상 돌아가는 물정도 모르면서
거리의 피아니스트처럼 키보드를 두드리고 있다
강릉시 홍제로 12번길은 3°C
여직 3°C를 웃도는 상온에서 시를 읽고
시를 쓰고 시를 고치면서 살았음이다
어느 날 누수로 벽지가 젖어 있다
이건 실화다
물은 어디서 새는 거냐
밤마다 꿈도 같이 젖었었군
전화했더니 출장비 포함 오십만원이라고
설비업체가 말했는데 동네 아저씨가
부속 하나 교체하고 오만원 받았다
세상일은 모르지만 내가 쓰는 시
잠꼬대라는 건 안다

**

다 쓰고 나서
공손하게 한 줄 더
세상 다 알고 나면 또 쓸 일 있을까?

내 것은 아닌가 봐

일월 며칠이다 수요일 또는
목요일 견딜만한 겨울 날씨
라디오에서 흘러나온 리스트의 헌정이
어디에도 닿지 못하고
거실 허공을 둥둥 떠다닌다
저 음악은 언제 들어도
나도 모르는 마음 어딘가가 흔들린다
거긴 어디일까 생각 중
정정한다
음악은 리스트가 아니라 슈만이었다
내가 이렇다
잠시 흔들렸던 마음도
내 것은 아닌가 봐

리허설

지금까지는 리허설인지도 몰라
무대 뒤에서 본격 무대를 기다린다
의상을 가다듬고 거울도 보고
익숙한 대본도 대충 다시 보고
헛기침도 몇 번
감독이 사인을 보내면 무대에 오를 것이고
평생 반복해 온 리허설을 정색하고
보여줄 것이다
생각도 리허설이지만
생각만으로도 벅차다
얼마나 기다려온 나날인가
감독이 내 곁으로 다가오더니
나만 알아듣게 조용히 말한다
당신 배역은 편집되었어

시 없이 걸어가는 그대

내가 말했지
시에 뭐가 있다고 믿으면서
시를 붙잡고 하소연하고
징징거리는 거
시는 무슨 죄가 있겠니
시는 그저 우연히
그대 앞을 지나갔을 뿐인데
시를 발견한 듯이
시를 발명한 듯이 떠들어대면
시는 얼마나 황당스럽겠니
사정이 이런데도
시를 붙잡고 통사정을 하고 싶으냐
말해보셔
윙크만 하는 듯 마는 듯
못 본 듯이 시를 지나치겠다고?
시 없이 걸어가는 그대가
시인이다

철학자의 밤

내 삶을 설명할 수 있다면
설명하겠다
내 삶의 우연성을 해명할 수 있다면
해명할 것이다
그러나 그것이 어떻게 가능한지
누가 말 좀 해주시오
행인들 걸음 끊긴 밤
창문 흔드는 겨울바람을
맨손으로 막아보는 시늉으로 대신한다

메모

훤하게 밝은 아침의 거리처럼
막힘없이 훤히 뚫린 길도
막막할 때가 있다
너무 확실해서 오히려 모호해지는
어떤 순간이 있듯이 말이다
새해 시작하고 사흘이 흘러간 아침에
문틈으로 들어온 생각
오늘은 우체국까지 걸어가서
읽는 일을 접으신 나보다
원로한 시인에게 시집을 보내야겠다

(메모)
외람스럽지만 선생님
생각 없이 살기로 했습니다
생각이 짐이 되니
사는 척만 하면서 살겠습니다
깜빡이다 자신도 모르게 꺼져버린
내 방 전등처럼요

젠장, 칠십이야

자고 일어나니 칠십이다
믿어지니? 믿어진다
아직도 계획을 세우고
인상된 세금 걱정을 하고
젠장, 칠십이야
정치를 개탄하고
자본을 개탄하며
중공발 우한폐렴 백신 맞을 궁리
인생 뭐 있어 이러면서
여기저기 흘끔거리는 게 맞느냐
자고 일어났더니 칠십
역사도 위인도 활동가도 조용히
낮추어보는 낯선 인간으로 변했다
나도 이럴 줄 몰랐다
다음 줄은 지나가는 사람
당신들이 써도 상관없소이다
젠장, 칠십이야

파릇파릇

자고 일어나니 봄
몸 어딘가가 수군수군
창턱에 흘러내리는 볕이 간지럽다
나도 파릇파릇 자꾸 되살고 싶다
그러나 이건 거짓말
단지 문법적으로만 파릇파릇 하면 될 듯
사는 방법 좀 가르쳐줘
죽는 방법도 좀 가르쳐줘
이건 싱거운 수사학이다
그냥 살다가 그냥 죽자
가끔 누군가를 그리워하자
그게 누군지 알려 하지 말자
단지 파릇파릇

자전거 수리공

초겨울이었어
책은 안 읽고 폰을 주무르다가
상계역 부근 골목을 어슬렁거렸지

자전거 수리점 앞을 지나갈 때인데
이마에 검은 기름 묻은 초상으로
마취도 없이 고물 자전거 내장을 열어놓고
열심으로 수리중인 주인을 보았다는 거지
꽤 숙연해서 거의 철학자로 보였겠지
니체나 칸트같이 책 쓰는 철학자 말고
삶에 흥건하게 손 담그고 있는 철학자 말이야

버려도 좋을 자전거를 모시고 와
수리공 앞에서 난감한 얼굴로 서있는 노인도
은퇴한 철학자로 보였다니까

가을비 내리던 밤

골목 끄트머리에 감춰진 이연실의 목로주점은 나의 단골집 오늘도 거기 들른다 주문하지 않아도 주인은 소주를 앞에 올려놓는다 비오는 날이다 내 지정석에 누가 먼저 앉아 있다 누구냐고 물었더니 모르세요? 라캉 선생이잖아요 그런다 평생 해오던 세미나를 접고 이 동네로 이사 왔다고 전한다 합석할까 하다가 그만두었다 누군가의 환상을 훼방 놓는 건 재수 없는 일이다 죄다 닭볶음 한 접시를 그쪽으로 보냈다 모든 인연이 악연이듯이 아무도 속에 들이고 싶지 않은 날이 있다 골목 끝 주점에 구시렁구시렁 가을비 내리던 밤

꽝

시를 만난 뒤로
나는 매일 시를 쓴다
이렇게 써보고 저렇게도 써보고
이쪽으로 나가보고
저쪽으로도 나가보지만 이도 꽝
저도 꽝
없는 문을 여는 시늉으로
일생을 관광하고 있다
멀리 벗어났지만 남들처럼 살고 싶다
문학상 수상작 같은 시를 쓰면서
태연스럽게 저자 사인을 하면서
그럴 듯한 시인의 말을 창작하면서
한쪽 손으로 무거운 턱을 괴고
안 보이는 곳 관망하는 포즈를 만들면서
시인처럼 살고 싶어진다

젖은 웃음을 아는가

늦밤에 서툴게 창문을 때리는 빗소리
시간 외 근무 중인 절도범처럼
빗소리듣기모임에 참가한다
이것은 운명이고 운명의 형식이고
운명의 쓸쓸한 허례다
빗소리 들으며 삶의 오지가
골고루 젖을 때 우산 없는 당신이
내 집으로 들어온다
당신도 웃고 나도 웃는다
젖은 웃음을 아는가

누군가 내게 묻는다
성생님 시는 왜 쓰세유?
(본적이 충청돈가?)
그럼 왜 사시는교?
(그새 본적이 바뀌셨군)
그딴 거 알면 내가 지랄했다고
시나 끄적대고 앉았겠나
(나는 강원도 사람)

가을비 오는 어느 날

손 없는 날 잡아서
시 하는 인류끼리 모여서 도망갑시다
그리고 돌아오지 않기
모든 거룩하고 성스럽고 위대하고
점잖고 외롭고 괴롭고 섹시한 허드레 꿈들에게
엿먹이기

지젝처럼 길 위를 걸어가며
철지난 공산주의자 코스프레를 하며
삼각김밥 뜯어먹는 거지

비오는 날은 그렇게
비오지 않는 날은 더 그렇게
ㅎㅎ 또는 ㅋㅋ
아예 ㅍㅍ

나 거기 있었네

옛날 옛집
옛생각으로 돌아가서
옛날 바닷가
옛날 주점에서
옛친구랑
옛날 얘기 지껄이고
옛사람이 되어서
옛길을 걷고
옛노래를 흥얼거리면서
좀 어긋난 생각
좀 빗나간 기억
좀 앞뒤 안 맞는 시를 쓰면서
지친 고양이에게 시를 읽어주는 건
내 진정한 꿈이다
꿈도 지워버리고
모르는 골목길을 지나
모르는 집 창문 앞에 멈추고
모르는 사람 이름을 부르자
모르는 사람이 나올 것이다
모르는 목소리
모르는 표정
나는 오래 모르는 사람을 쳐다본다

무모하게

시를 쓴다
어쩌구저쩌구
저쩌구저쩌구
짧은 문장 속으로 빨리 도망쳐
나도 찾지 못하게 숨어버린 생각
좀 그렇지?
낡은 창을 들고 풍차를 향해 달려가는
서양소설 속 누구마냥 무모하게 저돌한다
시에 속지 않을 것이다
그러나 또 어쩌구저쩌구
한 십년 더 살면서 무모하게
한 십년 더 무모하게 속고 싶다

당신의 시

시인은 시 쓰는 인간
시는 뭐야?
나는 모르지
좋은 시
덜 좋은 시
그런 게 뭔지 나는 모르지
그냥 쓰는 거지
쓰면서 쓰는 거지
그럼 된 거지
상거지처럼 쓰는 거지
그럼 된 거지
남들 앞에서 시를 줄줄 읽는 거
그건 또 뭐냐
웃기지 않니?
웃기는 것도 시야
암튼 나는 쓴다
이제 시 쓰는 인간을
우러르지 않는다
그짓도 우습다
배고프면 밥 먹고
잠 오면 잠 자고

그런 거 다 시 아니던가

시집을 돈 주고 사는 거

그거 싱거운 일이다

그러지들 마시라고

지나가면서 당부한다

시인들 굶어죽으면 어떡하나

덧없는 생각으로 잠 깨는 밤

다시 꿈에 들지 못하고 뒤척이는 밤

이게 나의 맨시

당신의 시

주문진항 리뷰

해가 진 주문진 시장통을
걸어갔다 아는 얼굴도 모르는 얼굴도 없는
이 거리 발전 없이 발전하는 이 거리는
스무살 때 연애편지 초고를 읽어주던 여자가 살던 곳
나보다 더 잘 살기를!
어디서 많이 들었던 클리셰지만
더 좋은 말은 나중에 추가하자
전등빛을 반사하는 명태와 오징어가
살아있을 때보다 더 생생하다
세발자전거를 타며 열 살까지 살았다는
주문진은 강세환 시인의 고향
여기가 우리집이었어요 제재소
기억과 허황이 뒤섞인 손짓으로
시인이 옛날 집터를 그려주었다
갑자기 강세환이 불쌍해졌다
아내도 있고 자식도 있고 연금도 있는 그가
불쌍할 이유가 없으니 더 그렇게 생각된다
삶이 좀 싱겁지만 그냥 삼킨다
소주에 추어탕을 곁들이고
다시 코로나 입마개를 하고 3000번 버스로
용강동 서부시장에 내려서 일찍 불꺼진

거리를 걸어서 집에 왔다

이렇게 써도 시가 되는지 모르겠다

꿈꾸지 않는 자의 행복

내 첫 시집이 궁금한 사람이 있을까?

글쎄. 그건 미지의 영역이다. 나도 한때는 내 첫 시집에 대해 이것저것 떠들고 싶었다. 지금은? 글쎄다. 내 나이 69세. 아니 벌써. 그렇다. 아직 나는 매일 낯선 깨달음을 겪는다. 스마트폰에서 벌어지는 경이로움보다 안다고 생각했던 것을 새롭게 뉘우치는 일이 그것이다. 다음 날은 그게 아니었음을 다시 깨닫는다. 매일 같은 반복이 반복된다. 이런 일은 종교나 철학의 영역은 아니다. 문학의 영역이고 더 분명히는 시의 영역이다.

내 깨달음은 일면적이고 충동적이고 허구적이다. 내 안에서 정의된 일은 다음 날 다시 수정된다. 한결같은 것은 없다. 나는 시를 쓴다. 나는 내가 쓰는 시에 대해 알지 못한다. 나의 설명은 빗나가고 어긋난다. 나의 설명과 나의 시는 다르다. 나는 그동안 시라는 말에 충실했을 것이다. 시는 시라는 말과 일치하지 않는다. 내가 쓴 문자조합을 시라고 믿지만 그것은 오해의 일부다.

내가 시라고 믿는 것은 기만이거나 속임수다. 내가 생각하는 시는 남들 앞에서 시를 읽거나 페이스북에 올려져서 좋아요(안 좋아요 포함)가 눌리어지거나 노트북을 펼쳐놓고 카페 구석을 임대하고 있는 모습이 하염없는 시처럼 보인다. 나로서는 그런 연극적 장면이 시로 보인다. 나의 시는 그러므로 나의 증상, 나의 헛소리, 나의 언어 도착(倒錯)이다. 다시 말해 시는 각자의 불가피한 헛소리다. 헛소리는 참소리가 모르거나 모르는 척 하는 부분을 건드려놓는다.

좋은 시는 좋은 시에 저항하는 시다. 좋은 시가 없다는 사실만 빼면 앞 문장은 그럴 듯 하다. 첫 시집에 대해 말하려다 다른 말을 하고 말았다.

처음 본 문장

비오는 밤이었던가
가을비였던가
문앞에 낯선 문장이 서 있다
들어가도 좋겠냐고 묻는다
생전 처음 본 문장
우산 없이 비를 맞고 있었지만
속으로 들이지 않았다
그날 이후 그 문장은
다시 오지 않았다
미안하다

박세현 서점

만나면서 헤어지듯이

한번뿐인 만남
한번뿐인 헤어짐
모든 일은 한번이다
하지만 꼭 그런 것은 아니다
한번은 길에서 만나고
한번은 바다에서 만나면서
만난다는 서술어를 살아낸다
모든 일이 단 한번만 일어나지는 않는다
언제는 마음에서 헤어지고
언제는 몸으로 헤어지면서
헤어짐은 여러 번 재상영된다
만나면서 헤어지듯이
헤어지면서 만나자

그

열차가 양평역에 도착한다
내리는 문은 왼쪽
누구는 내리고 누구는 열차에 오른다
목요일 오후에 열차에 앉아 있는 건
남모르는 적막이다
관광도 아니면서 여행도 아니면서
일도 없으면서 헤매는 것도 아니면서
창밖으로 지나가는 늦가을을 본다
단지 보고 있다
이때의 나를 나는 나이거니 짐작한다
그런데 나는 언제나 그다
나는 언제나 그를 지켜보는 사람이다
가까이 하기엔 너무 먼 당신°
오늘은 옆자리에 앉아 있다
강릉역에 이르는 동안 나는 그에게
말을 걸지 않았다 소 닭 보듯
그가 궁금하지 않은 날도 있다

°이광조

촌스럽지만 까다로운

전쟁은 오래 전에 끝났는데
참호 안에서 없는 적을 향해
총구를 겨누고 있는 병사를 알고 있다
전쟁이 허망하게 끝났다는 사실을
그는 잘 알고 있지만
자기와의 싸움은 이대로 접을 수 없다는
끝물 원리주의자의 환상으로 버틴다
그가 가진 무기는 아이들이 가지고 놀다 버린
장난감 소총과
구식 총검술과
외로운 자존심뿐이다
시장에서 신식 총과 최신형 전술 매뉴어리를
한 보따리 신용카드로 긁을 수 있겠지만
그는 20세기식으로 존재하기로 작정한다
그의 적도 하릴없는 구식이기 때문이다
이것이 아니라면
적을 쓰러트린다한들 무슨 보람이겠는가
구식이야말로 촌스럽지만
그가 견뎌야 하는 까다로운 자부심이다
찔러 찔러
길게 찔러
내리막고 온몸으로 베허버려

잠시 후 한 시

재즈수첩이 끝나고
세상의 모든 음악이
한 김 나간채로 재방된다
라디오를 끄려다가 그냥 둔다
ebs에서 영화 서편제 끝부분을 본 뒤다
앞 못 보는 오정해가 안병경에게 그림을 부탁하면서
아저씨는 여전하시다고 말했을 때
안병경은 이제는 늙었다며 그림으로
입에 풀칠하기도 힘들다는 대사를 치는 장면에서
(자판에서 잠시 손을 뗌)
잠시가 지나가고
여전하다는 영화 속 대사가
느리게 내게로 밀려왔다
여전할 수야 없지만 나에게도
여전히 남아도는 게 있다
(다시 자판에서 손을 떼고 쉰다)
밤이 늦었다
라디오를 끈다

내가 있는 곳

내가 있는 곳은 책상 앞이다
책상은 허공에 떠 있고
구름을 찍어서 시를 쓰는 중이다
한쪽 발은 허공 밖으로 내놓고
건들거리며 건들거리는 시를 쓴다
책상에는 연필이 두 자루, 안경, 커피잔
읽지 않은 소설과 굴러다니는 잡념
올드해진 구식 혁명 몇 조각
그러나 나는 알 바 아니다
책상 너머는 창문
창문 너머는 수굿한 저녁 어둠
어둠 뒤에는 가물거리는 기억들
기억 속에서 눈이 내린다
내가 함박눈을 맞고 있구나
무슨 시가 이러냐
나도 모르겠음
굿 바이

다 죽을 거면서

나는 나에게 또 한 끼니 공양
측은해도 할 수 없다
마이크 잡고 떠들고 있는 그대도
훗날 먼지가 되겠지
우선 정치인들
그 옆에 줄 선 멀쩡한 사기꾼들
소영업자들과 대상공인들
종부세 납세자들
문예인들
죽을 줄 알면서 거리에서 학교에서
텔레비전에서 국회에서 청와대에서
책갈피에 숨어서
헛소리를 방송하고 있다
당신들의 말이 옳다면 지금 당장
집으로 돌아가시오
제발 돌아가서 웹소설을 읽으시오
그것만이 훌륭한 그대가 살 길이오

꿈

친구 아파트에 초대받았다
아파트는 강릉 모처에 있는데
나도 처음 가보는 곳이었으며
304층짜리 아파트였고 친구는 301층에 산다고 했다
304층이라니 말이 되는가 꿈이었다
1층에서 301층을 누르고 엘리베티터를
기다리다기다리다 집으로 왔다
친구는 만나지 못했다 꿈이었다
대통령 취임식날 대통령이 갑자기 사라져서
취임사를 대신 읽을 사람을 물색 중에
고등학교 동창회에서 나를 지명했다는 것이다
부랴부랴 취임사를 써가지고 식장에 갔더니
다른 친구가 긴 취임사를 읽는 중이었다
꿈이었다
개꿈을 흔들어놓고 라면을 끓이는데 전화
출판사: 선생님 시집이 전혀 움직이지 않습니다
나: 죄송합다
이건 꿈을 뒤집어놓은 꿈이다

미친 사랑이여

시집 갈 데까지 가보는 것을 기념할 겸
청학동을 거쳐 수락산 내원암에 올랐다
법당 앞 큰바위에 삼배
미세먼지는 끼었으나 세상은 더 멀리까지
선명하게 다가오기도 했다
적당한 양지를 찾아 배낭을 열어놓고
김밥을 꺼내면서 보니
소설가 구보씨의 일일이 들어 있다
최인훈의 장편소설
이게 왜 여기 들어 있지
몇 줄 읽으면서 막 겨울로 접어드는
늦가을 몇 줄도 함께 읽는다

덧: 대단하지도 않은 시를 쓰면서 사는 게 힘들 때가 있다. 시가 뭐라도 되는 듯이 말이다. 늦은 저녁에 손님 같은 가을비가 내렸다. 창밖을 통해 내가 내려온 산길을 더듬다가 책상에 놓인 꾸어다 놓은 보릿자루처럼 정숙한 시집을 펼쳤는데 오자가 눈으로 성큼 들어왔다. 눈을 가릴 사이도 없었다. 너는 하필이면 왜 이런 날 발견되는 거니. 제때 도착한 미친 사랑이여.

어쩌다가 나는

바람기 많은 나무로 태어나
바람에 시달리면서 바람처럼 불어가고
바람 그치면 언제 그랬냐는 듯 입 다문다
살지 않은 듯이 살기로 작정하고
비바람 기념으로 밤커피를 마신다 음 이맛
커피가 뜨겁게 목으로 내려와
내장 후미진 곳을 건드려놓는다
살아보지 못한 미완의 삶이 켜진다
홍상수의 스물여섯 번째 영화
당신 얼굴 앞에서를 보면서 들어온 사상
영화는 더 안 봐도 되겠군 암
사는 게 영화인데 따로 무슨 영화겠소이까
어쩌다가 나는 이런 듣보잡 영화에 캐스팅되어
시나리오 없는 영화에 찍히고 있음이다

모자를 쓴 밤

비오는 가을날 십일월 며칠 강세환 시인과 금천구에 갔다 시집이 나왔기 때문이다 후배시인이 스코틀랜드 목동이 쓰는 모자를 쓰고 나타났다 내가 써봤더니 강은 독립운동가를 밀고하는 일본 밀정 같지만 잘 어울린다고 했다 술집 주인은 만화가 같다고 했다 다들 잘 어울린다고 박수를 쳤다 남의 모자를 쓰고 그밤 노원구까지 왔다 모자를 썼지만 생각보다 쓸쓸했던 밤

별고 없으신지요?

이런 인사말은 봉평에 사는
김남극 시인이 써야 제 말값을 한다
그가 이효식의 장편소설 벽공무한을
책임편집하여 출판했다고 보내왔다
가수에게 히트곡이 있어야 먹고 살 듯
소설가에겐 대표작이 있어야 하겠지
가산의 히트곡은 메밀꽃 필 무렵
이론의 여지가 없다
그것을 쓰지 않았다면 가산은 그러니까
동반작가로 문학사의 한 줄에 등록되었을 터
벽공무한을 읽으며 나도 만주를 다녀와야겠다
만주 가면 톡을 보내겠다
별고 없으신지요?
나는 바로 지금 만주벌판에 있습니다
끝이 없는 외로움 속으로 걸어갑니다
돌아가면 연락드리지요

나의 시대는 오지 않겠지만

나의 시대는 올 것이라고 말했다
구스타프 말러였다
단풍 고운 상계동을 걸어가면서 든
생각이다
사람들이 지나간다 저런 사람
이런 사람 이런 나
저런 나 거리에
이 생각 저 생각이 소문처럼 구른다
목로주점을 만들어 불렀던 싱어송라이터
이연실은 어디 있을까
상계동에서 봤다는 소문이 있어
상향으로 눈을 뜨고 걷는다
누군가의 안부가 궁금하면 나는
이곳저곳을 걸어다닌다
집에 올 때쯤이면 궁금했던 사람이
다름 아닌 나였음을 알게 된다
나는 지금 어디에 있는가
나의 시대는 오지 않겠지만

자,
그래서 나는

익숙한 거는 사절
설명서도 사절 해설류도 사절 평론류도 사절
온통 사설이군
익숙한 노래 익숙한 정치 익숙한 투덜거림
익숙한 선언 익숙한 글작가들
이제 그만 속아야겠어
지금 내 말을 번역해봐
영어로 독일어로 중국어로
당신은 어떻게 이해하는가
그것이 나는 더 궁금하다
도서관에서 쓰여지지 않은 소설의
시놉시스를 읽는 게 더 즐겁다
끝내 이해되지 않는 지점에서
나는 시작해야 한다

느닷없이

집에서 나와 바다까지 한 시간 남짓
몇 분 더 추가
천변을 따라 휘파람도 없이
이렇다 할 잔상도 없이
갈대와 그의 친척들 손잡고 흔들거리는
마음의 거리
신념의 거리를 훌훌 지나가며
데이비드 포스터 윌리스의 책갈피 속에서
느닷없는 쉼표에 걸려 넘어지듯이
할말을 잊어버리고 걸었을 거야 나는

문학의 이해

문학을 다시 이해하고 싶다는 생각은
이제 와서 무슨 소용이람
생각만으로도 뿌듯해지는 입문서는 없을까
이것저것 머릿속을 뒤적거리다 잠 깬다
이게 꿈인가
다시 잠 들어서 간밤에 꾸던 꿈
재탕으로 다시 꾸고
꿈에서 읽던 책도 거듭 읽어보고 싶다
문학의 이해
혼자 중얼거린다
문학은 이해하는 일이 아니다
내가 쓰고 싶은 책의 첫줄
문학은 먼 데서 오고 있다는 기척이고
한순간 내 앞에 다다르는 것이고
어느새 도둑처럼 휙 사라지는 무엇이다
문학을 이해할 이유가 있을까 싶은
벌써 시월 중순이라니

짐작

내게 좋아하는 말 열 개를 고르라면
첫 번째는 짐작
마지막에는 막장이 올 것이다
남한에 산다는 건 뭐 이래저래 충분히 막장이니까
문화 예술 경제 그 꼭대기는 정치가 차지한다
내가 얘기하려는 건 이게 아니므로 넘어간다
나의 관심사는 주로 쓰여지지 않은 시에 대한
독후감 쓰기다 쓰여지지 않은 시는 쓰여지지 않은 채로
마트 택배 컨베이어 벨트 위에 있거나
처음 보는 여자의 입술 위
금방 태어난 아기의 탯줄 사이
출발 직전 기차 대합실에 앉아 있을 것이고
저급한 욕을 떠들어대면서 폰을 끌 때
그 옆에 다리 꼬고 앉아 있는 노숙 10년차일 것
시월 이런 날은 어떤 날? 카페에서 시를 쓰는
시인들 그거야 그네들 문제
남 얘기는 할 것이 없고 그저 그냥
내 얘기만 하자 그도 바쁜 것이고
시는 거울 앞에서 셀카 찍는 일이겠다
페북에 올렸던 시 싹 지워보는 순간
삭제된 자국이 아름답지 않어?

저기 공원에서 바둑 두는 하라버지들

저분들 자기 인생 공배를 메우느라 열심이다

네 것도 아니고 내 것도 아닌 구멍

그 구멍 속으로 숨어드는 아직

탈고되지 않은 시

누가 이 사람을 모르시나요

누가 내 문자를 씹었다는 말을 하려는 건 아니다
그럴 수도 있는 일
사람 사는 일은 다 그렇지
(안 그럴 수도 있다는 게 문제)
나는 우중간으로 날아가다 허공에 딱
멈춘 사람
약국에서 나오는데 비가 여름비처럼 쏟아진다
소도시의 시가지 골목이 옹기종기
비에 젖는 소리가 좋다
유효기간 넘은 추억도 새로 비에 젖는다
단풍 든 감잎 하나 둘 어쩌면 좋니
강릉중앙동우체국 앞을 우산 쓰고 지나간다
내가 쓰지 않으면 이 장면은 누가 쓸까 싶어서
마음을 훌쩍거리며

더 이상 시인이 아닌

내가 쓴 시는
더 이상 시가 아니다

그러니 나는 더 이상 시인이 아니다
내가 쓴 시는 보이지 않고 들리지 않고
심지어 존재하지 않는다

홍상수 영화를 보러 갔을 때 영화관에
앉아 있던 사람들 몇
하나 둘 셋 넷
한 명 더 있었던가
그들과 연대하면서 살리라

장 뤽 고다르가 영화를 찍듯이
시를 써?
시가 아닌 시는 쓰다
쓰지만 쓰자

모과 속으로 숨는 시월 중순
햇살을 바라보는 더 이상
시인이 아닌 시인

당신에게 감사하며

마침내 당신이 납품했던 소설과 시와
페이스북에 올린 여러 편의 글들을 지우게 되었으니
당신에게 나는 진심 감사한다
그동안 멀리서나마 당신을 흠모하며
책을 사고 공들여 읽었던 젊은 날의 밤과 꿈을
이제 깨끗이 던져버리기로 한다
화염병을 던지고 숨어 살던 당신의 그 가열찬
오오 열정이여 지금도 살 떨리는 당신들의 열정이
부러우나 나는 당신 들을 읽던 자리를 떠난다
고작 짧은 서정시나 끄적이며 지각없이 출근하던
내가 그 시절에는 쪽팔렸던 거지
나는 당신에게 실망한 것이 아니다
모종의 환멸을 느낀 것도 물론 아니다
글작가는 자기 글의 신념에 따라 살면 된다
자신의 세계관을 전시하면 그만이다
나는 당신의 책에 스민 편집자와
인쇄공과 영업사원과 출판기자와 독자의 수고가
헛것이라고 떠드는 게 아니다
종이값도 아까운 작가라고 깔 생각은 없다
당신이 서명하고 지지하는 정치에 대해
다만 저건 무엇일까 하고 불발탄처럼 허공에 뜬

짝퉁이데올로기를 해소할 길 바이없다
이제 당신의 작품을 읽는 일은 없을 것이다
그러나 감사한다 진심이다

시월이 다 가기 전에
얼른

그저그런 시 몇 편만 쓰자
사랑도 섞고 그리움도 끼워넣자
소량의 적적함도 양념으로 섞자
좀 속되고 싶은데 벌써 나는
충분히 속되고 속되도다
속된 줄 모르고 쓴 시가
더 야할 수도 있겠다
마지막 순간에도 의연함을 잃지 않는
나무의 세계관에서 뭔가 훔쳐다
시에 감춰두자
카우치에 누운 내담자처럼
입 다 털어버리고
속을 비워버리자
한번 더 말하게 되겠지
다 비웠는데 끝내 비워지지 않고
남아도는 이건 뭐지 그러면서

다음에 보지

시도 쓰고 그림도 그리고

에세이도 쓴다고 했다

거기 가면 꼭 만나보라면서 번호까지 줬다

그만한 시인은 없을 것이라며

친구가 입에 침이 마르도록 설명했다

진심으로 고개를 끄덕이며 나는 말했다

다음에 보지

맨얼굴

마스크를 깜빡 잊고
맨얼굴로 버스에 올랐다가
탑승을 거절당하는 노인 남자
요금통에서 동전을 다시 꺼내면서
하차하는 저 노인은
갑자기 자신이 누구인지 생각났으려나
승객들은 엄청난 침묵 속에서
그저 지켜만 보고 있었는데
버스가 막 떠나려는 순간에 한 할머니가
여기 마스크 있다고 외쳐주었다
늘 그렇듯이
기사가 악셀레이터를 밟아버린 뒤였다
할머니가 소용없는 마스크를
들여다보는 가을 오후 강릉
교보생명 앞

가을밤

가을이다
두 번 중얼거리고 잠들었다
꿈에서는 이슬람으로 개종하고 맨손체조를 했다
시를 잘 쓰려고 애쓰지 않는 나를
손수 칭찬한 가을밤이다

내가 견디는 평화로움

레종 데트르가 생각나지 않아 검색
외국말이 기억으로 불려오지 않았던 것
그렇든 저렇든 꼭 그거라야 되는 강박이
좀스러운 나의 레종 데트르인지도 모르겠다
누구에게나 그런 습이 있겠지만 이건 어두운 슬픔이다 세상에
반드시 그것이어야만 되는 것이 있으려나? 있기는 있겠지 이젠
읽었던 소설 제목이 떠오르지 않아도 전전긍긍하지 않는다 그
소설이 나를 잊었다고 퉁치면 몸도 마음도 편해진다 어젯밤 꿈
자국만 해도 그렇다 유년기의 옛집에서 쌀을 씻고 있는데 친구
가 찾아와서 둘은 들국화가 시드는 길을 걸었다 아침에 꿈은
세부가 지워져서 형체를 알아보기 어려웠다 깨고 보니 꿈 속에
놓고 온 게 많았지만 그냥 잊기로 했다

날마다 망합니다

나는 망했다
언어의 빵에 갇힌 채로
무죄를 주장하는 탄원서를 쓰고 또
쓰지만 편지는 전달되기도 전에 폐기된다
존경하는 대통령 각하
저는 죄가 없습니다 자폐적인 언어를 굴리면서 시를 쓴 것이 죄라면 죄일 것입니다 재미없는 시를 썼다는 것도 잘 알고 있습니다 신호등도 위반하고 거짓말도 했겠지만 각하도 알다시피 시만 쓰는 나 같은 미물의 세계관은 누구에게도 해를 끼치지 않습니다 그것은 각하도 잘 아시지 않습니까

줄 바꾸면서 생각도 바꿉니다
나는 스스로 언어에 갇히면서 언어를 통해서만
세상으로 나아갔습니다
내가 인정하는 죄가 있다면 오직 하나
스무 살 청년처럼 다시 설렐 수 없다는 사실
그래서 나는 날마다 망하고 또 망합니다

시월 이십 일일 아홉 시 조금 넘은 이천 이십 일년

강릉시 홍제로 12번길 11°C
바람은 없고 창에 어린 가을 만땅
또 하루 깨어났군
책상 위에 남은 커피
이건 누가 만들었지
당신이 아침의 적적한 공복을 위해 남겨둔
철학적인 커피겠지
그렇군 벌써 가을이야 너무 가을
라디오를 반쯤 켜다가 그대로 둔다
우선 커피 한 모금
과테말라군
식은 커피를 마시면서 나는
오늘 아침도 커피만 마시는 건 아니다

사근진을 지나가며

환갑 지난 시인의 작업실로 놀러가면서
차창 밖으로 보았던 경포와 사근진 사이
바다 전체로 파도치듯이 달려오던 파도들
가슴 한 구석이 젖어서 자주 브레이크를 밟았다
초저녁 시월 하순의 파도 때문이라고 쓰고 싶은데
그것은 그것만이 아닐 것이라고 높은 파도 옆에서
중얼거리겠지
나도 내가 이럴 줄은 몰랐다
나는 그저그런 한 인간이고 싶었어
불편하고 불안하고 불미스럽고 불쾌하고
더 없을까? 불온하고 불륜스럽고 싶었다는 거지
아직 꿈은 잔상이 남았다네
사근진 짧은 해변을 지나가며
파도 뒤에서 안 보이게 젖고 있는
꿈의 한 대목을 중얼거리며

본 사람 없는 장면

잭 케루악이 죽은 날이군
나도 그처럼 더 할 말이 남아 있지 않다
쓰는 일만 남았다고 속으로 중얼댄다
오늘의 강수량과 바람의 방향과 나의 체온을
기록하며 할 말 없음의 뒤를 견디는 공허를 쓴다
어제도 밤의 사천항을 걸어다니며 아무
생각을 하지 않았다 생각이라니,
쓸데없는 생각들, 묵은 이데올로기들
이 동네는 나의 산문소설 『페루에 가실래요?』의
가설무대다 근해에서 돌아온 고깃배가 항구에 잠겨
잠 못 드는 밤의 수심을 지나갔다
소설에 나왔던 인물이 함께 걸으면서
그가 내게 물어왔다
잘 지내시나요? 그럭저럭이지요
저 사람은 누구요?
잭 케루악인데 지나다 들렀다지요
그 사람 소설은 읽어보았나요?
나는 바쁜 사람이오
파도 저쪽 언덕에 여행가방을 든 케루악이
보름달을 베어 먹고 있는 중이었다
본 사람 없는 이 장면

결론적으로 말해

지인이 그렇게 말하는 동안
그의 이마에 흘러내리는 햇살이 투명하다
세상에 결론이라는 게 있다니
다시 한번 지인의 확신을 쳐다보면서
그가 도달한 결론을 추리해보지만
그만의 문제는 아닐 것이고
지금 노원구 중계동
은행사거리에서 쟁쟁이는 한 줌 햇살처럼
내 결론은 결론이 아니라 다른 근거의
서론에 지나지 않음이니
가난한 이마에 묻은 햇살을 만지며
결론적으로 말해
모르는 사람의 마른 손을 잡아주고 싶다

시는 당신이 쓰는 게 좋겠소

나는 빈둥거리며 살겠소
그게 좋겠소
거듭 말하지만 시는 나보다
외로운 이력과 계급이 높은
당신이 써야 하오
죄 없는 언어를 지지고 볶는 일이
지겹소 나는 시인이 아니라오
무슨 강조어법이 아니지요
내 말은 문자 그대로이지만
당신에게 이해되지는 못할 것이오
이해처럼 지저분한 낱말 있으려나
시는 당신이 쓰고 나는
없는 생각만 편집하겠소
빗소리로는 발을 짜고
구름으론 이불을 만들 것이오
저만큼 물러서서 웃고 있는 당신
그게 바라던 나의 시요

강릉에서 돌아와
중계동에서 쓴 첫 시

시를 쓰는 일
즉 시일은 사기를 치는 일이다
말을 이렇게 썼다 저렇게 썼다 하면서
이런 걸 두고 창작의 고뇌라 한다면
나의 고뇌는 한도 없고 끝도 없으렸다
책 내고 저자사인 하고 책토크 하면서
시인처럼 떠들고 웃는다

시간은 제걸음으로 지나간다

나라를 평화롭게 만들어놓고 말겠다는
대통령 후보들의 연설이 지루한 망상이듯이
시일꾼들의 문장도 더하면 더했지
하느님 뭐하세요
시인들 좀 잡아가세요
오천 권 이상 팔아먹은 시인들은 빼고
그 이하들만요

그래서 어쩌자는 건지
나는 모르지

없을 무가 들어가면
괜히 나의 어디가 가득 찬다는
촌스런 편견을 어쩌지 못하고 산다
무심하게
무념무상 무반주 무용지물 무관중
무소식 무작위 무독자
무료 무식 무지막지
그중 하나를 집으려니
가늘게 손이 떨린다

상강

읽지 않아도 될 시집 500권에 내 책이 포함되었다고 일러준 이는 독립영화 찍는 송여은 씨다 뉴욕타임즈라고 했던가 축하드려요 그이의 말이다 오늘은 좀 많이 걸어야겠다 검색되지 않을 권리는 소용없는 꿈인가 강릉에 내려온 지 열 하루가 되는 아침에 서리가 내렸다 서리는 삭제한다 서리 없는 상강이다 클래식한 민중시를 읽고 싶은데 요즘 그런 시는 누가 쓰는지 모르겠다 송여은 씨한테 물으면 알려나 입 다물고 사는 먼 친구에게 읽어도 그만인 시를 보내줄 것이다 그도 조용히 일흔이 되었다 웃자 친구여 상강이다 답장은 하지 마라

진리는 사천에 있다

외로우신가요?

내 시 읽어보세요

저녁 드시고 30분쯤 뒤에 읽으면 좋습니다

산책을 곁들이면 더 효력이 있답니다

4주 정도 읽어보시고 차도가 없으면

그때는 김소월로 바꿔보세요

그래도 듣지 않으면 나는 모르겠습니다

내 영역이 아니거든요

가려야 할 음식은 없고

소량의 음주도 장려합니다

음악을 곁들이면 좋다는 사람도 있지만

해설이 붙어 있는 음악은 피하시도록 하세요

장르는 불문입니다

오늘밤 삶아먹을 신라면이 있으니

나야 아무 근심이 없습니다

이른 저녁을 때우고 사천 진리에 가서

이리저리 헤매다 오렵니다

보름이거든요

외국에서

중공발 우한 폐렴 핑계로
한 2년 만에 만났던가 우리
악수는 생략하고 마스크로 얼굴 가린 채로
안부를 주고받으며 그대는 망설이며 말한다
흰머리가 더 늘으셨습니다
그때 커피가 왔다
아메리카노 보통 하나 진한 거 하나
고향에서 처음 와 보는 커피집이 마음 설다
누구는 사는 게 다 외국이라 했는데
그 생각으로 고개를 끄덕인다
그대에겐 흰머리가 늘었다는 말에 대한
대답으로 돌아갔을 것이다
그도 시인 나도 시인
나중에 생각하니 문학얘기는 한 개도
나누지 않고 헤어졌다
햇살 쏟아지는 창가에서 시를 읽는 대신
구멍 난 양말 꿰맨다는 번역가의 말이 지나간다
감쪽같이 숨길 재간이 없어 당당하게 드러냈다는
양말의 구멍이 왜 지금 보이느냐
서운하지만 많이는 아니고

그는 침묵한다

맑은 날이었고
가을이었을 걸
라디오에서는 차이코프스키의
안단테 칸타빌레가 흘렀던 것 같다
(이 음악이 나오면 나는 얼어붙는다
알량한 감정들 손잡고 달아나는 소리)
하지만 다른 음악일 수도 있다

그는 종일 행려병자로 죽은 화가의
그림을 들여다보았다
이런 환쟁이도 있었구나
커피 마시는 거 깜빡하듯이
그런 날은 시 쓰는 일도 잊고
그는 침묵한다

그런 날이 있었다니!

2020년 5월 무렵
그렇게 기억되지만 아닐 수도 있다
4월이었는데 편하게 착각하고 있는 건지도 모르지만
그리 중요한 건 아니다
중요하지 않다고 생각하니 갑자기
6월이 아니었나 싶기도 하다
생각 놓고 걸었던 강원도 바닷가
작은 항구 고깃배 몇 척
나처럼 손 놓고 마음 없이 흔들리던 그 무렵
예순 지나서 항구를 서성이는 건
좀 그렇다
해변에서 십분 넘게 파도를 바라보는 연기도
그렇다
지난 해 5월 무렵이었지 싶은데
기억을 탈탈 쏟아놓고 살폈는데 그때는
정말이지 아무 일도 없었다
그런 날이 있었다니!

흠모할 게 있다면

이 아침에 핀 흰 철쭉이 아니겠소
지난 밤 꾸었던 꿈 모르고 다시 꾸며
나는 오래 공회전했소
아침엔 꿈 밖으로 나와 다 잊어버리고
없었던 듯 살아가겠소

흠모할 게 있다면
생의 후렴구 같았던 어젯밤 빗소리
떠오르지 않는 누군가의 웃는 얼굴
불암산 어두운 산마루에 떠있던 헬리콥터

향은 사라지고 애매한 여운으로 남아 있는
밤의 커피에 물을 조금 붓는다
이것도 코스타리카의 잔맛인가
이렇다 할 깨우침이 없는 아침을 흠모하겠소

어느 날 새벽

초가을이었고
무슨 책을 넘기다가 잠들었는지는 기억 없다
불면을 다독이는 레시피가 아니었을까
그 밤에 이루지 못한 잠을 지금이라도
손 써보고 싶은 마음
새벽까지 뒤척이고 있었다면
면식 없는 당신도 나와 같은 민족이다
자기 방에 갇혀서 생각에 갇혀서
아니 확 줄여 말하는 게 빠르겠다
자기 육체에 갇혀서 혼자 끙끙댄다면
나는 그를 위해 주문을 외우리라
사라사라시리시리소로소로못쟈못쟈모다야모다야
매다리야니라간타가마사날사남바라
창밖이 훤해졌다
마음 한 겹 걷어내고 다시 책상에 앉아
덧없는 책을 펼치는 것도 덧없는 나의 사업
당신이 읽고 있는 책을 내게만 귀띔해주시라
내 앞에 펼쳐진 책은 장설 중인 강원도 산비탈
고라니 발자국이다

박세현 시 깊이 읽기

박세현의 시를 읽고
시에 깊이가 없다고 말한다면
그는 뭐라고 할까?
시는 물류창고가 아니므로
시에서 이것저것 찾지 마시오
촌스럽지 않소

시의 거죽이 시의 깊이지요
깊이 없음이 바로 시의 깊이라고 말하려나
깊이 파고들면 시는 거덜이 나고 말지요
시의 궁극에는 아무것도 없거든요
시조차도 없지요

몇 줄 되지 않는 시에서 깊이만
기피해도 성공적일 것이오
시는 시랍니다
시는 위의 문장처럼
명확한 자기 부정이 아니던가요?
아님 말고

첫차

소년시절에 놓친 첫차는
어디쯤 지금도 달리고 있겠지
쓸쓸한 내게 물어본다
첫차를 놓치고 다음 차를 탔지만
그 후로 두 번 다시 나의 첫차를 타지 못했다

외로움에서 꿈을 지운 나머지
그런 여백이 삶의 빈칸을 채웠으니
지금도 아직도 내일도 들판에 서서
휑한 길바닥에 서서 오지 않는 차와
지나간 차를 기다린다

부산에 가면

강릉에 가면이라 써보니
부산에 가면°에서 올라오던 느낌이
오지 않아서 지워버렸다
강릉에 가면 이후 다른 말이 또 끌려오지 않는다
이걸 어떻게 이해해야 하나 싶어서
이하 여백에 몇 줄 끄적거린다

강릉에 가면 남항진에 가서 장칼국수를
먹을 것이고 안목항을 지나 강문 스벅에 갈 거다
중앙시장 순대국 임당동 철다리밑 짬뽕국물
서부시장 감자전에 소주는 누구랑 마시게 되려나
남문동 가구골목을 입 다물고 걷게 되려나

강릉에 가면 이런저런 일들
한꺼번에 달려들지는 않겠지만
춘향여인숙 골목을 걸으면서
옛생각들 지금인 듯 손으로 휘휘 저으며
강릉에 가면 나는 서울 사람인 척
말꼬리를 좀 올려봐야겠어

°최백호

오늘도 평안하시길

구름을 한 냄비 퍼다가 물을 붓고
중불로 아슴하게 국을 끓였더니
그 맛이 개운하고 다정하다
문밖을 나서던 넋도 한번 되돌아보는 기분
친구는 웃기지 말라며 웃었네
내게는 웃어줄 친구가 따로 없스므니다
파도도 친구고 밤비도 친구고
선반에 얹어둔 타자기도 내 친구다
타자기는 내 문학관에 기증할 생각인데
사람들은 이 타자기로 좋은 시를 썼다고
떠들어주면 좋으련만
그건 전에 중고시장에서
구매한 장식품이다
타자기세대까지가 작가라는
착각을 미화하려는
나의 촌스러운 수작이다
너무 많은 내 친구들아
먼저 죽은 내 경쟁자들아
오늘도 평안하시길

겉멋으로 쓴 시

이 가을에 나는
하늘을 수집하고 먼산을 수집하고
신상품 구름을 수집한다
바보같이 멍하니 서서
황매화 위로 흘러가는 시간을 붙잡고
흘러가는 물소리에 귀를 올려놓는구나
바람결에 얼굴 부비며 웃자
겉멋으로 웃자
당신은 알까?
지금 쓴 당신이 바로 당신임을
모르시겠지
알 리가 없겠지만
불던 바람 은근히 돌아와 속삭인다
그분도 당신을 당신이라 부르며
당신도 당신을 알지 못할 것이라 전했다
나만 알 수 있는 당신과
당신만 눈치 채는 내가 만나지 못하고
스쳐가는 길 위에서 나는 쓴다
겉멋으로 시를 쓰자
겉멋뿐인 시를 쓰자
꼬리 잘린 도마뱀같이 얼른 사라지자

남세스러운 말이랑 속이 깊은 말은
다 감춰버리고 겉멋으로 똥멋으로
나중에는 아무 멋도 없는 싱거운 문장으로
시를 쓰자 지나가던 당신이 살짝 눈을 찡그리며
먼눈으로 읽고 지나가는 시를 쓰자
참새도 안녕 너구리도 안녕
급식 줄 앞에서 노인도 안녕
겉멋뿐이어서 울컥하는 시
속없고 깊이 없고 뜻도 없어서
아가들도 손에 쥐고 흔들 수 있는 시

그런 걸음으로 겉멋을 잔뜩 부린 채로
나를 몰라보고 지나칠 당신에게 가보련다

집에 가도 할 일 없는 인류들은
부디 연대하시라

이제 와서

저런 말이 있고
저런 말을 써야 할 날이 있다
이제는 갈 수 없는 시간과 인연들
지나간 날이 그립다기보다
그런 날들이 아무렇지 않아졌음을
마음으로 만져보는 무덤덤함
이제 와서 하는 말은
그때로 돌아가도 그렇게 할 수밖에 없다
오늘은 오늘의 바람
내일은 내일의 바람

찰촌 여자

찰촌 출신의 여자를 알고 있다
그녀는 언제나 하염없이
하염없이 언제나 찰촌에서 나고 자랐음을 역설한다
한번은 그녀가 내 손을 잡으면서
이 작은 손으로 시 쓰느라 고생이 많으셔요
나는 간격 없이 후다닥 대답했다
시 쓰는 게 무슨 고생이어유
고작 코딱지 하나 떼어내는 일인데유
그랬더니 목젖이 보이도록 입을 벌리면서
그럼 여태 코딱지를 떼어냈다는 거예요?
그녀는 그랬다
나는 내일이나 모레 같은 시를 쓰고 싶소
시건방진 거지요 내일을 도모하다니요
그거 우리 때 동시상영관 극장간판 같거든요
그렇게 말하던 그 여자분은 지금 어디 살고 있을까
나는 나름으로 그녀를 잘 아는 편
나도 찰촌에서 태어났거든
그거 어디 가겠어요

가볍게 읽을거리

가볍게 읽을거리를 상상한다면
어떤 책이 좋겠는가
십분간 생각해본다

십분이 지나갔다
어떤 것은 그렇고 어떤 것도 그렇다
지루하고 따분하다
가벼운 책은 너무 가벼워 우우

예전에는 전화번호부도
가볍게 읽을만 했는데

오월의 신록 같은 책은 아니라도
새 날 위에 떨어지는 햇살 같은 책은 아니라도
읽고 휙 던져버려도 아쉽지 않지만
그래도 한번 더 손이 갈만한

대충 읽어도 되는 니체
하이데거 바디유 라캉 금강경
그리고

싸이에게 감사하자

내 시 읽는 사람 없다면
아니다 가정법으로 할 말이 아니라
엄연히 직관된 현실이니까
다시 말하겠다
내 시 읽는 사람 없으니까
내 시는 내가 읽어야겠다
내게 읽어줘야겠다
그러면 충분하다
여긴 왜 이렇게 썼지? 고쳐야겠어
그냥 두자 그건 내가 쓴 게 아니고
나의 손가락 동지가 쓴 거다
그냥 읽어가자
심심한 대로 소심한 대로 읽어가며
나는 심심했구나 나는 소심했구나
삶이 꿈이 밤이 시가 다 그랬구나
자기 노래 한 곡도 팔지 못한 가수 싸이가
자기에게 곡을 팔듯이 그렇게 하면 될 것을

작가들의 생업

엘리엇은 은행원
허먼 멜빌은 세관검사관이었다
밀란 쿤데라는 재즈 연주자
찰스 부코스키는 우체국 직원
레이먼드 카버는 병원 수위였다
김종삼은 동아방송 촉탁 내지 무직
누구는 정신병원에서 오르간 연주자
누구는 장의사
누구는 떴다방, 포주, 대필작가, 정치브로커
누구는 마약 밀수업
누구는 어용 공무원
누구는 이중간첩
천상병은 행려
누구는 노숙인으로 생계를 이어가며
글을 썼다는 근거 없는 기록들
상스러워라, 후끈한 생계여

좋은 시란 무엇인가

시를 잘 쓴다는 거
우스운 말이다
잘 쓸려고 애쓰는 일도 그렇다
어떻게 하면 시를 잘 쓴단 말인가
독자의 품에 안겨 사랑받는 시가
좋은 시란 뜻인가
나에게는 답이 없다
자고 일어나 세수하지 않은 얼굴에
어지럽게 번진 간밤의 꿈자리 얼룩이
좋은 시일지도 모른다
그건 말로는 어떻게 할 수 없다
좋은 시란 무엇인가
솔직해야겠어
좋은 시 같은 건 없는지도 모른다
속이 시원해지는군
당최 아무도 읽으려 들지 않는 시야말로
좋은 시가 아닐는지

커피와 담배

—짐 자무쉬

오월 하순의 밤
잠 안 오는 밤
자정을 앞둔 시간에 지금은
피우지 않는 담배 생각
어딘가에서 이유 없이 끊어진 안부 같은
담배연기가 몰려와 나를 휘감는다
참 많이 피웠지 참 열심히 피웠지
참 애쓰며 피웠지 피우고 또 피우고
다시 피우고 언제나 피웠지
담배 없이는 잠들 수 없었던 밤들
자다가 일어나 담배 사러 가던 남자
그가 나지만 이제 나는 그를 모른다
더러 그 남자가 그립다
담배 담배 담배는 열망과 슬픔과
한 가닥의 기쁨과 연소되지 못한 삶이었다
그때 내 옆에 있었던 시간들은
담배연기처럼 사라졌다 어느 날 담배가
나를 끊어주었고 아주 멀리 가버렸지만
내 몸 속엔 늘 담배 한 개비가 타고 있다
담배를 진정시키려고 오늘은 우아하게
믹스커피 한 잔

소만과 망종 사이

소만과 망종 사이에는
라캉의 에크리를 읽는다
그건 왜 읽는가
묻는 사람 없으니 자문자답한다
심심해서 읽는다
라캉을 읽다보면 여름방학 강의실에
세 명의 교수가 앉아 있고 교단에는
정치학박사가 준비한 발제문을 읽는다
발표자의 열띤 목소리 사이로 낡은
에어컨 돌아가는 소리가 합성된다
세미나가 끝나고 원주시 단계택지
맥주집에 들어서면 먼저 자리잡은 한국형
라캉들이 취기에 대충 젖어 있다
다들 제정신이 아닌 채로 살아간다
하늘이 좋은 화요일 오후에
세미나가 벌어지던 강의실 의자에 가
재수강하는 학생처럼 낮술처럼 벌겋게
앉아보고 싶다

갈망

잘 쓸려고 애 쓴 시가
여름호 계간지 한 쪽을 밝혀놓는다
잘 쓴 시다
인정

잘 쓴 시가 아니라
좋은 시가 궁금하다
갈망하는 시의 얼굴을 모르면서
습관적으로 좌절하는 아침이 많다

본인이세요?

주민센터에서 초임
공무원이 사망신고 하러 온
민원인에게 묻는다
본인이세요?
민원인이 대답한다
본인이 와야 합니까?

이 삽화를 실제로 받아들이면서
나는 실제로 웃고 있다
정확한 질문과 정확한 대답은
죄가 없다
지금 웃으시는 분
본인이세요?

°어디선가 읽은 얘기를 시집의 보유(補遺)삼아 복사해놓는다.
이건 시가 아니다. 시라고 생각하시면 오해다.
나는 오해받고 싶은 사람.

가제본 이후의 추가분

영문 모르면서

영문도 모르고 사는 삶에 축배
한 잔 더,
사는 데 영문이 있다고 떠들지 말자
나 자신에게도 그러지 말자
철학자도 자기 이론을 믿지 못해
주점에 앉아 있는 시인의 눈치를 볼 거다
시인은 의심이 그의 전공이다
세상을 의심하고 삶을 의심하고
정확하게 자신을 의심한다
음주측정을 거부하며 내가 누군지
모르냐고 소리치는 취객의 언어로
가끔은 내게 물어본다
당신, 내가 누군지 알어?

세상의 끝

세상의 끝 서울의 끝
노원구의 끝에 살고 있다
이사 안 가고 이사 못 가고 산다
노원구엔 누가 사는지 모르지만
살 만한 사람들이 산다고 듣는다
당현천에 발 담그고 놀다가
북서울미술관에 가서
미술을 보는 낙
그 짓도 낙의 끝
끝의 끝까지 가보는 일도 낙낙하다
뉴욕에서 온 친구가 며칠 살고 가면서
남겨놓고 간 말이 아직 움직인다
세상에서 몇 걸음 떨어진 느낌으로
살기 좋다 딱이야, 딱

한 편의 시

독자라며 전화가 걸려왔다
내가 쓴 시, 한 편의 시를 잘 읽었다고 했다
생각의 바닥을 다 뒤져봐도 시가 기억나지 않아서
그런 시는 쓴 적이 없는 것 같다고 말했더니
독자는 자신이 쓴 시도 기억하지 못하느냐고 나무랐다
쓰고 나면 곧 잊어버리는 게 내 스타일이라고
말해줬더니 독자는 실망의 빛을 감추지 않으면서
전화를 툭 끊었다
생각하고 또 생각해봐도 한 편의 시라는 시는
기억되지 않았다
시집을 다 뒤져볼 수도 없어
새로 시 한 편을 쓰기로 했다
시 쓴 사람이 자기 시를 기억하지 못함은
소박한 미덕이자 시인의 윤리가 아닐까 싶다

커피 없는 날

오늘은 커피를 굶었다
커피가 떨어졌다
오랜만에 강릉집에 왔다
커피를 챙기지 못한 입이 꿉꿉하다
몸은 망명정부가 철수한 빈집 같다
허세가 있어 문장 규모를 줄여야겠다
굶는 날도 있어야지요
아내의 말이다
오늘은 시도 굶었다
읽지도 않고 쓰지도 않았다
그런 날도 있어야 한다
이건 내 말이다
내일은 커피부터 마시러 나가자
이건 내 생각이다
아내는 들은 체 하지 않고
종편 드라마에 집중한다
한 편의 시다
주변을 몰아내는 집중과 몰입
그런 게 없으면 현실과 꿈 사이가 뜬다
내가 그렇다
책장에서 황동규의 시집을 꺼낸다

내 죽은 다음 날이라는 구절이
어느 시에 있는지 검색한다
오늘이 혹시 내가 세상 뜬 다음 날인가?°
그게 그거겠지만 그게 그거는 아니다
이럴 때 커피가 있다면 몸과 마음 사이의
빈 구석이 메워질지도 모르겠다
저질 커피라도 무슨 상관이겠는가
애써 나를 달래는 밤

°황동규, 일 없는 날

할 말도 없으면서

뭐라고 자꾸 중얼거리는 것은
삶의 안쪽이 비어가기 때문이고
새들이 날아갔기 때문이고
비가 오지 않기 때문이고
지금, 읽고 싶은 문학이 없기 때문이다
어디까지나 이것은 진심이다

어제는 月精寺 선재길을 걸었다
그 길은 찬란하고 싱싱한 長詩였다
좋았다고 쓰고 다시 고친다
시집이 두껍다고 독자가 묻길래 좋은 시만 고르려다 안 좋은 시는 미안해서 버리지 못하는 바람에 그리 되었다고 대답하는데 질문자는 옆사람과 통화중이었다 독자와의 만남은 그렇게 끝나고 명상룸에서 일박 이일 출구 없는 명상에 들었다

주최 측은 내 귀에 충분히 닿을 수 있는 볼륨으로
다음부터 더 젊은 작가를 섭외하겠단다
사십대요? 그랬더니 난색을 표하면서
또 나에게만 나직하고 또렷하게
공문서를 읽듯이 말했다
우리는 이십대를 찾습니다요, 선생님

고립무원

늦가을 상계동
1980년대식 어느 술집
강세환이 나보고, 형은
고립무원이오, 라고 선언하시었다
술기운으로 중얼거려 보았는데
씹히는 질감이 괜찮았더라
마을버스 앞에서 헤어질 때
그가 발밑에 떨어진 밤별 하나를 주워
내 바지주머니에 넣어주었다
후끈했던 별
백낮에도 희미하니 반짝거리더라

草芥日記를 다시 읽으며

비오려나
유월의 밋밋한 저녁
공연히 어둑한 마음이
무릎 밑으로 흘러내린다
김영태의 초개일기를 손에 들고
동네 산보하듯 이곳저곳 읽어본다
읽는다가 아니라 읽어본다는 말에
이렇게 따듯한 피가 돌 수도 있구나
이곳저곳에 뿌려놓은 피아노 그림에서는
에릭 샤티의 백사시옹이 들리다가
임동창의 똘끼가 묻어나기도 한다
그가 없는 세상에서 음악은
먼 데서 울리는 적막한 시다
초개가 김수영을 형님으로 모시고
이승훈 첫시집의 표지화를 그리던
저 시절에야 시가 있었다고 쓴다
이렇게 내 맘대로 써보는 저녁

시여, 꿈 깨자

마르셀 뒤샹이라 적힌 메모
이걸 왜 썼는지 궁금한 일요일밤
어제 떠있던 달은 보이지 않고
내 마음의 여백만 평수가 넓어졌다
손봐 달라고 보낸 시인의 시를 읽고
손볼 데가 없다는 메모를 써서 돌려보냈다
손댈 수 없는 삶의 순간마다
시가 지나간다
재미없는 소설을 꾸역꾸역 읽을 때도
시는 조용히 지나간다
받지 못한 계간지 원고료 생각나서
웃고 말았다
시여, 꿈 깨자

나를 찾지 마시오

가을에는 중국에 가야겠다
중국 어디라도 좋겠지
사람 많은 곳에 가고 싶다
서울보다 몇 배, 몇 십 배 많은 도시라면
어디라도 마음 편해질 것이다
아는 얼굴도 없겠지만 몰라도 상관없는
사람들에게 말을 걸면서 섞이고 싶어진다
누구를 이해한다는 거
누구에게 이해받는다는 거
모두 어색한 거지 어색해
노천카페에서 아무 커피나 불러놓고
멍하게 앉아 있는 거다
오는 생각 막지 않고 가는 생각
붙잡지 않으면서 커피 한 모금 넘기면
몸에 걸렸던 낡은 기억들 다 사라질 것이다
기억할 게 없음을 기억하자
중국에 가면 길을 잃어버리자
여권도 던져버리고 행려의 길을 떠나자
나를 찾지 마시오
(아무도 찾지 않았다는 후문은
이렇게 괄호에 묶어둔다

이후 100년 동안은 괄호를 벗기지 마시오)
괄호 앞으로 돌아가서 다시
나를 찾지 마시오
누가?
나를 찾을 사람 나밖에 더 있겠소만
나도 나를 찾지 않았다는 후문은 뒷문 열어놓듯이
괄호를 묶지 않겠소 ㅎㅎ

독립시인

이유 없이 살자
외로워도 외롭지 않게
젊은 소설가의 말에 밑줄을 긋고
그 밑에 다시 흘림체로 빠르게 쓴다
쓸데없이 살자
꿈속인 듯 꿈밖인 듯
소속사에 전화해야겠다
오늘 날짜로 계약을 해지하렵니다
나의 소속사는 골목 저 끝에 있는
책 한 권 납품 없이 폐업한 출판사

시인

원고료 떼먹는 문예지 편집자
그가 시인이라 해서,
오랜만에 소리 내 웃었다
재미있다
지면 관계상 이름은 생략
다 아시지요? 누군지
건필하시고 행복하시기를
나보다 훨씬 행복하시기를

유월 초순

유월 초순
밤꽃 향 지나간 大韓醫院 앞
작은 연못 분수대 바라보며 서 있네
흰 까운 입고 벤치에서 삼각김밥 먹는
레지던트의 머리카락 몇 올
건들바람에 부풀었다

지하 삼층 심전도실 로비에서
엑스레이 찍고 오기로 한 집사람 기다리네
간호사 두 명이 거피를 들고
말없이 조용조용 지나간다
옆에 앉은 육십대 중순의 여자가
기침하며 손으로 입을 틀어막는다

라산스카°
나도 맨정신으로 중얼거려본다
아무도 듣지 못했다
지금은 유월 초순
아침 여덟 시 사십구 분

°김종삼

만세

모고는 폐교되고
등단 지면은 폐간되고
생가는 헐리고
그늘도 시들고 햇살도 구겨지고
내가 맺은 관계는 다 틀어졌다
내가 만지면 이렇게 다 망가진다
예외가 없다
내가 쓴 책은 초판에서 사라지고
전화는 오지 않는다
사흘을 견디지 못하고 수정되는
내 지론을 지론이라 할 수 없다
내가 만지면 온전한 쓸쓸함도
쿠키조각처럼 바스라져 버린다
덜 핀 꽃 한 송이 들고 걸어가는 길
개봉 못한 독립영화와 다를 게 없는
나

한없이 울었다

깨고 보니 꿈이었다
그렇겠지
울 일이 없는데 꿈은 왜 이러니
꿈은 꿈이다
책상 위에는 읽다 둔 소설이
펼쳐진 채로 엎드려 있다 소설의 내용이
방금 생긴 햇살 속에 와르르 쏟아져 있다
손으로 만져 보자
저마다 기쁘고 저마다 서늘하구나
라디오에서는 캐논 변주곡
오늘은 더 익숙하다
많이 들어서가 아니라 몸속에
웅크리고 있던 사정이 흘러간 것이다
파헬벨이 만든 음악이 아니라
내가 작곡한 캐논이다
꿈속에서 엉엉
한없이 울다니
그 장면은 대본에 없는 나의 애드립이다
울 일이 없다
소식 없이 살아가는 인연에게 전화나 걸어볼까
어제 만나고 헤어진 사이처럼 말하자

둘레길이나 걸을까요?

오늘은 안 된다고요? 여보세요, 끊어졌군

이것도 꿈이야

나의 몽매한 상상력이겠지

어쩔 수 없다

동네 다이소에서 시집을 사들고
나오는데 문득 비가 쏟아진다
별수 없이 비 맞으며 집으로 오는데
이게 무슨 청승이람
청승도 시다
지나가던 노숙인이 내 속생각을 뺐어
대신 중얼거린다
지나가는 양반이여 아시겠지만
이제 예술은 설 자리가 없다네
이번에는 내가 받아서 독백한다
예술은 자리에 드러누웠고 시는
엉금엉금 기어다닌다네요
돌아보니 주변엔 아무도 없었고
시집을 들고 있는 나 혼자였어
집에 가서 넝마 같은 시나 읽어야겠다

아르떼 뮤지엄 앞에서

여름 날 하오 두 시
하늘에 해가 서너 개는 뜬 듯
덥다 마음으로 여러 번 복창
초당동 아르떼 뮤지엄 앞 나무의자에 앉아
소나무들에게 말 건넨다
엄친아처럼 살아가는 소나무 사이에
몇은 구부러지고 꼬여 있다
해풍에 통통 불은 비둘기 울음이
초당고택 쪽으로 날아가고
알 수 없는 새 두엇은 제각각으로
자기 설명을 흘려놓고 지나간다
무슨 뜻인지 모르지만
몰라서 좋다 몰라도 좋은 날이다
죽었는데 그쪽에 미처 적응 못해 다시 와
며칠 더 개기는 헐거운 몸이 얼결에
바람 한 점 삼킨다

에밀 시오랑

그냥 입속으로 굴려 본다
말랑한 느낌이 괜찮아서
눈치 없이 오래 우물거린다
루마니아에서 태어나 프랑스말로
글을 썼던 사람
사십이 되도록 소르본느대학
구내식당에서 끼니를 때우고
평생 싸구려 여인숙을 전전하며
자신을 견뎌냈다는 이 철학자를
어떻게 생각하는가
검색해보시라
그는 84세에 죽었다
굶어죽은 건 아닐까, 설마
그의 장례식날은 종일 비가 왔을 것이고
조문객은 없었을지도 모르겠다
내가 만든 상상이다

오늘의 역사

흐림 비 예보 있음
내 정신의 온도 25°C
이른 아침에 가곡을 듣고 눅눅한 마음
건조기에 넣고 말렸다
과거를 돌아보는 못된 습관을 고치기로 하고
방안을 몇 걸음 소폭으로 산보했다
오규원의 동시를 읽으리라
그건 내일 일이다
지금에 충실하여야 한다
앞으로 역사라는 말은 쓰지 않을 것이다

시 제목 찾아보기